LA PROMESSE DES CROISÉS

L'auteur

Jacqueline Mirande est née dans le Bordelais.
Elle a passé son enfance et vit encore, en été, dans ce que l'on appelle
« la palude » girondine. Après des études d'histoire à Paris,
elle épouse un marin et fait de nombreux voyages à bord
de différents pétroliers, du golfe Persique au Texas
et de l'Australie au Japon. Elle commence alors à imaginer
des histoires, pour se distraire, au cours de longues traversées
entre ciel et mer ! De retour à Paris, elle les écrit. Auteur consacrée
et reconnue de romans historiques, elle a publié de nombreux
ouvrages chez Hachette Jeunesse, Castor Poche et Pocket Jeunesse.

Du même auteur, chez Pocket Jeunesse :

Sans nom ni blason
Le cavalier
Un château pour Mahaut
1848, la fille des barricades

Jacqueline MIRANDE

La promesse des croisés

Collection « Les romans des légendes »

Ouvrage publié sous la direction
d'Annie COLLOGNAT

Dans la même collection :

Le voyage d'Ulysse
Les chevaliers du roi Arthur
Les trésors de la Bible
Romulus et Rémus, les fils de la louve

Loi n° 49-956 du 16 juillet 1949 sur les publications
destinées à la jeunesse : mars 2006.

© 2006, éditions Pocket Jeunesse, département d'Univers Poche.

ISBN : 2-266-15196-7

Prologue

De là où se tenait Ansiau, on ne pouvait voir les flammes des bûchers, seulement deviner, mêlés aux nuages, les tourbillons de fumée, et sentir l'odeur de brûlé que le vent rabattait de l'île vers la rive gauche de la Seine.

Ansiau était seul dans la ruelle longeant le collège des Irlandais. Les cloches d'un couvent voisin sonnèrent l'office de vêpres* et le jeune homme se demanda si ces moines prieraient pour les deux hommes en train de mourir sur leur bûcher, dont l'un était le plus haut dignitaire de l'ordre du Temple. Condamnés à être brûlés vifs pour hérésie, magie, sorcellerie – et relaps* de surcroît ! – après un procès long et confus.

* Les mots suivis d'un astérisque sont expliqués dans le lexique, p. 167.

Les Templiers étaient-ils innocents ou coupables ? Quel crédit accorder à des aveux obtenus sous la torture ? Les avis étaient partagés et le rôle joué par le roi, Philippe le Bel, discuté. Les richesses confisquées au Temple venaient à point renflouer ses caisses. Mais, d'un autre côté, c'était un souverain d'une profonde piété. Alors ? Que penser ?

Soudain, dans la ruelle où il se croyait seul, une voix s'éleva juste derrière Ansiau :

— Ce soir, le roi pourra dormir content. Le trésor des Templiers est enfin à lui !

La phrase s'accordait si bien aux pensées d'Ansiau qu'il sursauta et se retourna vivement.

Un homme se tenait à l'abri du mur. Il n'était pas jeune : sa barbe grisonnait et des rides creusaient son visage. Une pèlerine effrangée l'enveloppait mais laissait voir de belles bottes de cavalier. L'inconnu ne regardait pas Ansiau ; il paraissait même ignorer qu'il fût là et ne parler que pour lui-même.

— L'ordre du Temple aboli… C'est le dernier maillon de la chaîne qui se rompt. Les croisades… pourtant, quel beau nom ! Et quelle épopée ! Entre islam et chrétienté… Ombres et lumière… Mais qui s'y intéresse encore ?

— Moi, dit Ansiau.

Prenant alors conscience de la présence du garçon, l'inconnu leva les yeux et le dévisagea longuement.

— Pourquoi t'y intéresserais-tu ?

— J'aime les époques passées. Vous ne me croyez pas ?

— Qu'étudies-tu au collège de Sorbonne ? L'histoire ?

Ansiau rougit.

— La philosophie.

L'inconnu eut un léger rire et un éclair de malice brilla dans ses yeux très noirs.

— La philosophie… Et tu t'intéresserais aux croisades ?

— Comme aux romans du roi Arthur, à Lancelot, Perceval, la quête du Graal…

Un coup de vent fit voler un pan de la pèlerine. L'inconnu la rabattit et une bague brilla sur son index droit.

Ansiau la contempla, intrigué.

L'homme le remarqua mais se borna à dire, d'un air pensif :

— La quête du Graal… Oui, la croisade… c'était un peu ça ! Après tout, peut-être es-tu comme moi : un pêcheur de lune ! Si vraiment les croisades t'intéressent, viens me voir. Je t'en parlerai. J'ai lu beaucoup de chroniques anciennes, aussi bien chrétiennes qu'arabes.

— Arabes !

L'inconnu eut à nouveau ce léger rire qui lui plissait le coin des yeux.

— Mais oui. Arabes. Si tu persistes dans ton idée, tu me trouveras chaque soir, rue Serpente, au logis qui jouxte la taverne du Lion Rouge. Tu n'auras qu'à demander… (il hésita une seconde) le chevalier. C'est sous ce nom qu'on me connaît. Et toi, quel est le tien ?

— Ansiau.

Dans la ruelle une bourrasque fit parvenir plus proche, plus âcre, l'odeur de brûlé. L'inconnu murmura :

— Les bûchers doivent achever de se consumer. Que Dieu prenne en pitié l'âme de Jacques de Molay, dernier grand maître des Templiers.

Et il s'éloigna, laissant Ansiau perplexe.

Pourtant, le lendemain, le jeune étudiant en philosophie se rendit rue Serpente, à l'adresse indiquée.

Un serviteur âgé vint ouvrir la porte et le fit entrer en boitant dans une petite pièce, basse de plafond, éclairée par la maigre lueur d'une unique chandelle et le rougeoiement de braises au creux d'un trépied en fer.

Le chevalier se tenait debout, mains tendues vers le peu de chaleur que le foyer diffusait.

Ansiau s'avança pour le saluer. Il répondit par un simple hochement de tête et, comme le jeune homme ne savait quelle attitude prendre, le chevalier lâcha avec impatience, en désignant un banc de pierre placé dans l'embrasure de l'unique fenêtre :

— Eh bien, qu'attends-tu ? Assieds-toi !

Puis il appela :

— Eusébio !

Un vieux serviteur parut.

— Apporte-nous deux pots de cervoise !

Lorsque Eusébio les eut posés sur un coffre près du brasero et qu'il eut refermé la porte, le chevalier dit avec une petite grimace :

— Du vin de Chypre eût été mieux accordé au récit que je vais te faire, mais il y a beau temps que je n'en ai goûté ! Buvons quand même, ami, aux croisades. Et arme-toi de patience, mon discours risque d'être long !

Ils vidèrent d'un trait leurs pots de cervoise et le chevalier, après un moment de silence, comme s'il se recueillait, se mit à raconter...

LE RÉCIT EN SIX SOIRS

I

Premier soir

Dieu le veut !

— Tout a commencé le 27 novembre 1095, à Clermont. Un concile* s'y tenait depuis une semaine, sous l'autorité du pape Urbain II. Le Saint-Père ainsi consacré était né Eudes de Châtillon, un Champenois qui avait été, un temps, moine à Cluny. C'est dire s'il connaissait bien la France dont il venait d'excommunier* le roi, Philippe Ier, à cause d'une embarrassante affaire de mariage illégitime.

Ne voulant pas, dans ces conditions, réunir le concile sur le domaine royal, le pape avait donc choisi la ville de Clermont, au cœur de l'Auvergne et de la France du Sud.

Pendant toute une semaine, cardinaux, évêques, abbés ou prieurs des grandes abbayes avaient débattu des problèmes de l'Église.

Ce jour-là, avant de se séparer, ils s'étaient une dernière fois réunis autour du pape.

Des seigneurs et des chevaliers de la région s'étaient joints à eux.

Et quand on avait su que le pape allait parler, de petites gens étaient accourus, tisserands, savetiers, forgerons, sabotiers, délaissant pour un temps leurs échoppes.

Quelques femmes s'étaient jointes à eux, leur marmaille accrochée aux jupes. Il y avait même des paysans des villages alentour venus vendre leurs châtaignes et leurs noix, car c'était jour de marché à Clermont.

Une foule bruyante, disparate, massée devant l'entrée de la cathédrale. Et lui, le pape, debout face à eux sur l'estrade en bois, hâtivement drapée de blanc.

Il commença à parler et il se fit un grand silence. Parce qu'il évoquait la misère des pèlerins chrétiens se rendant en Terre sainte et que plusieurs, dans l'assistance, y étaient allés.

Eux savaient ! Les humiliations, les insultes, les tracasseries de tous ordres et les taxes à payer à chaque entrée de ville, à chaque Lieu saint : payer au Golgotha, payer au Saint-Sépulcre, à la grotte de Bethléem… Quel chrétien pouvait supporter ces affronts ?

Et commis par ces infidèles, ces musulmans ! Des Turcs venus de Perse et qui avaient vaincu l'empereur grec, le *basileus** qui résidait à Constantinople.

Lui aussi appelait au secours. Les Turcs avaient non seulement conquis toutes ses terres d'Asie Mineure, mais ils étaient aux portes du Pas Saint-Georges*. S'ils franchissaient cet étroit bras de mer… Dieu garde même d'y penser !

Un frémissement, alors, parcourut l'assistance. La plupart ignoraient tout de cet empereur, mais qu'il soit, comme eux, victime d'infidèles, lui, un chrétien, les bouleversait.

L'idée s'emparait des esprits : reprendre les Lieux saints, en chasser l'infidèle.

La voix du pape s'éleva, plus forte, achevant de les convaincre. Libérer Jérusalem. Cette ville où le Christ souffrit sa Passion, un héritage légitime qu'il fallait reconquérir par un pèlerinage mais, cette fois, en armes ! Par une guerre juste. Le mot était lancé.

Tous y étaient conviés, seigneurs et vilains, libres ou serfs, hommes et femmes. Qu'ils cousent sur leurs vêtements une croix, symbole du Christ. Et ceux qui partiraient seraient absous de leurs fautes pourvu qu'ils en aient repentir !

Cette pensée acheva de les exalter. Ils en oublièrent le vent âpre venu des montagnes proches qui les glaçait, le ciel bas de cette fin de novembre – et peut-être la première neige tomberait-elle cette nuit ? Ils oubliaient tout : les seigneurs, leurs terres ; les marchands, leurs richesses ; les humbles, leurs échoppes enfumées. Un élan les portait, les soulevait.

Lequel d'entre eux lança, le premier, le cri : « *Deus lo volt !* Dieu le veut ! »

Aussitôt repris par tous, prélats, seigneurs, artisans, paysans et le pape lui-même.

Dieu le veut !

Cela fit comme une houle sur la mer quand le vent se lève. Et ce fut par ce cri que débuta la première croisade.

… Le chevalier s'interrompit, tendit vers le brasero ses mains, qui avaient conservé une grande finesse, hocha la tête.

— Un temps de grande foi… Et dans l'enthousiasme général, tous voulaient partir, prendre la croix, là, tout de suite.

Le premier, l'évêque du Puy, Adhémar de Monteil, du lignage des comtes de Valentinois, se jeta aux pieds du pape qui le releva.

18

Et il décida que, ne pouvant prendre en personne la tête de l'expédition, il ferait d'Adhémar son représentant, son « légat ». Ainsi serait garanti le dessein religieux de l'opération militaire. Le pape Urbain II y tenait.

Pour les chevaliers qui se pressaient, désireux de prendre tout de suite la croix, le pape leur parla raison. Il ne s'agissait pas d'un simple pèlerinage ! Il fallait s'organiser, trouver des hommes, se procurer des montures, des armes, des cottes de mailles, des cuirasses… Toutes choses qui coûtaient cher. Sans compter l'argent dont il leur faudrait se munir pour le voyage… Et pour beaucoup, où le trouver ? Donner en gage, voire vendre, des bois, des terres. Et à qui, sinon aux puissants ordres religieux, Cluny en tête ?

Autour du pape, plusieurs commencèrent à y penser, à calculer le prix d'un cheval, d'une épée, d'un haubert* ou d'un heaume*, à discuter entre eux. Ils ne renonçaient pas, certes, Dieu garde ! mais ils comprenaient que trop d'empressement mènerait au désastre.

Le pape Urbain II les quitta le lendemain, satisfait, et il commença une longue tournée à travers le pays, en évitant toujours les terres du roi de France, pour la raison qu'on sait.

Mais tandis qu'il allait ainsi de ville en ville, d'évêchés en abbayes, prêchant partout la croisade, soulevant l'enthousiasme et ralliant à sa cause des seigneurs puissants, un autre homme, dans le même temps, enflammait d'autres foules…

Il se nommait Pierre l'Ermite – un surnom qui lui venait, disait-on, d'un temps passé en solitaire au sein d'une forêt. Laquelle ? Nul ne le savait. Cela s'ajoutait aux faits réels ou inventés, colportés de bouche à oreille et qui, peu à peu, formaient sa légende. Ne disait-on pas que lors d'un pèlerinage aux Lieux saints, le Christ en personne lui était apparu pour lui donner mission de sauver la chrétienté des Turcs païens ?

Son éloquence, qui était grande, sa fougue avaient plu au pape Urbain II qui l'avait rencontré peu avant le concile de Clermont et lui avait confié la charge de prêcher là où le pape ne voulait aller, sur les terres du roi de France.

Pierre l'Ermite commença donc à prêcher la croisade en Berry, en Orléanais mais à la différence du pape, lui allait de village en village, d'une bourgade à l'autre. Et il s'adressait aux paysans, au petit peuple des campagnes, aux manouvriers, aux simples qui l'écoutaient, assis sur le pré devant l'église trop petite pour les contenir. Et il parlait si bien que beaucoup étaient prêts à tout quitter, là, à l'instant. Pour délivrer Jérusalem…

À ceux-là, il disait :

« Patience. Attendez la mi-août, après la fin des moissons quand les granges seront pleines et qu'on pourra faire des provisions pour le voyage… »

Alors, ils suivaient son conseil et partaient ensuite, en famille, hommes, femmes, enfants, des villages entiers… Ceux qui avaient des bœufs les ferraient comme des chevaux et les attelaient à une charrette à deux roues où ils plaçaient le peu qu'ils avaient : des hardes, une marmite en fer, des écuelles en bois, un petit tonnelet et, par là-dessus, les plus jeunes enfants et les vieillards…

Celui qui avait un porc l'emmenait. Ou quelques chèvres, ou des poules placées dans des cages en osier.

S'y joignaient d'humbles châtelains, vivant pauvrement dans une unique salle flanquée d'un donjon en bois qu'il fallait couvrir de peaux de bêtes fraîchement écorchées pour éviter qu'il ne brûle si un autre petit châtelain ou une troupe de brigands venaient les attaquer.

Ceux-là aussi suivaient Pierre l'Ermite. Les cadets surtout, qui n'avaient rien à espérer, le peu de bien étant tout entier réservé à l'aîné. Eux du moins savaient se battre, tenir une épée, manier une lance, monter à cheval, même s'ils n'avaient pas d'armure, faute d'argent pour en acheter.

Parmi eux, un certain Gautier – dont le surnom « Sans-Avoir » disait assez qu'il ne possédait rien ! – se distingua vite et fit bientôt figure de chef.

Or, il en fallut, des chefs ! Car ils n'étaient plus des centaines, mais bientôt des milliers à marcher pieds nus sous la pluie ou sous le soleil brûlant, chantant des cantiques et demandant à chaque ville importante si c'était là Jérusalem… Des enfants naissaient… Des vieux trépassaient…

Et parmi eux s'étaient glissés des bandits de tout poil qui cherchaient, en prenant la croix, à obtenir la rémission de leurs brigandages. Certains sincères. D'autres moins, rêvant pillages et voleries bien plus que rédemption ! Et les désordres commencèrent. Alors qu'ils traversaient l'Allemagne, puis la plaine hongroise.

Quand les gens des villes voyaient arriver cette cohue, ces bandes désorganisées, le plus souvent affamées, ils fermaient les portes et se barricadaient à l'abri des murailles. Mais pour éviter de voir piller les campagnes environnantes et dévaster les villages, les gouverneurs faisaient distribuer des vivres. Hors les murs.

Des excès se produisirent. Inévitables. Des faubourgs furent mis à sac, des Juifs massacrés. Le roi de Hongrie préféra fermer les yeux, mais lorsqu'ils arrivèrent dans les provinces bulgares gouvernées par Byzance, l'un des gouverneurs, excédé, attaqua l'une de ces bandes. N'ayant pour se défendre que des bâtons, des couteaux, des faucilles, plusieurs milliers de pèlerins furent massacrés. Pierre l'Ermite parvint à rassembler les rescapés et atteignit enfin Constantinople*. C'était le 1er août 1096.

L'empereur Alexis Comnène, qui régnait alors, accueillit plutôt aimablement Pierre l'Ermite et lui conseilla d'attendre sous les murs de Constantinople l'arrivée des armées croisées des barons. C'était la sagesse.

Mais bien vite il y eut des pillages. L'empereur Alexis, mécontent, inquiet aussi de voir pareille horde si près de sa capitale, fit transporter les pèlerins par bateau sur l'autre rive du Bosphore. Les pillages continuèrent. Cette fois, excédé, il les relégua dans une place forte proche de la frontière turque, au bord de la mer. La flotte byzantine les ravitaillait régulièrement. Ils n'avaient qu'à patienter jusqu'à l'arrivée des armées des barons qu'on disait imminente. Pierre l'Ermite les y incitait.

Peine perdue ! La tentation était trop forte avec ces Turcs à portée de main ! N'était-ce pas pour les combattre et leur reprendre les Lieux saints qu'ils avaient tant marché, tant souffert ? Ils se rappelaient les gués de rivières qui vous glaçaient les os, les sentiers de montagne où l'on devait s'agripper aux rocs pour ne pas tomber dans de vertigineux abîmes, les plaines brûlantes à perte de vue et leur constant tourbillon de poussière, les forêts interminables, la faim qui vous mordait le ventre, les vêtements devenus haillons et ceux qui mouraient sans qu'on sache où les enterrer…

Tout cela, ils l'avaient supporté dans le seul but de reconquérir Jérusalem. Qu'attendait-on pour le faire ? N'était-on pas tout près ? Menteurs, ceux qui disaient : « Pauvres gens ! C'est encore loin ! Patientez ! Les armées des barons ne vont plus tarder ! »

Qu'avaient-ils besoin d'attendre les barons, les seigneurs, leurs chevaux, leurs épées, leur orgueil et leur mépris ? Ils leur montreraient, eux, les manants, les va-nu-pieds, les corvéables, les serfs courbés sous le fouet, qu'ils étaient tout aussi capables de se battre et de vaincre ces païens turcs !

… Ainsi parlent les incendiaires quand les chaumes secs s'enflamment d'un rien… meneurs d'un jour que la foule suit, aveugle.

Un premier succès sur une armée turque les encouragea, suivi d'un échec qui eût dû les faire réfléchir. Mais ils ne voulaient plus rien entendre : lassé de voir qu'il n'était plus écouté, Pierre l'Ermite repartit à Constantinople.

Alors, malgré l'opposition de Gautier Sans-Avoir et de quelques autres chevaliers, les pèlerins firent mouvement – plus de vingt mille, cette fois –, sans chefs, sans éclaireurs, dans le plus grand désordre, avec au milieu d'eux des femmes, des enfants. Surpris par les Turcs, incapables de se battre – hormis les quelques chevaliers entourant Gautier qui combattirent vaillamment mais succombèrent sous le nombre –, ils furent massacrés ou réduits en esclavage.

Trois mille à peine réussirent à regagner la place forte qui leur avait été assignée et qui fut aussitôt assiégée par les Turcs.

L'empereur Alexis envoya en hâte des navires de guerre. À leur vue, les Turcs levèrent le siège. On embarqua les croisés qui restaient. Ce qui avait figuré un grand mouvement populaire, plein de fougue et d'élan, s'acheva misérablement dans un faubourg de Constantinople où les survivants, désarmés, attendirent l'arrivée de la croisade des barons.

Le rêve était devenu cauchemar, désordre, confusion et mort.

... Le chevalier s'interrompit longuement. Ansiau murmura :

— Les barons, eux, eurent plus de chance !

— Eux, bien sûr ! Ils étaient organisés, conduisaient de vraies armées. Le pape Urbain II y avait veillé... Et ils avaient à leur tête des chefs dont les noms allaient devenir célèbres : Godefroy de Bouillon, Baudoin de Boulogne, Bohémond, son neveu Tancrède, Raymond de Saint-Gilles et d'autres encore...

— Et ils prirent Jérusalem !

Le chevalier eut au coin des yeux ce pli de malice familier à Ansiau maintenant.

— Hé, pas si vite ! Laisse-les d'abord atteindre Constantinople !

Le siège d'Antioche
et la prise de Jérusalem

— Les armées des barons parvinrent à Constantinople, l'une après l'autre, au vif soulagement de l'empereur Alexis Comnène qui redoutait qu'elles ne fassent leur jonction près de sa capitale.

Lorsqu'il avait demandé secours au pape contre les Turcs qui lui grignotaient son empire, il avait pensé obtenir en retour quelques troupes mercenaires qu'il commanderait à sa guise.

Et voilà qu'on lui envoyait d'abord des bandes de va-nu-pieds inorganisés, pillards, incapables de se battre, bref, une source de tourments plutôt qu'un renfort !

Et, à présent, quatre armées, trop bien équipées, celles-là ! Leur venue l'inquiétait !

Car il avait conscience que cet empire de Byzance dont il était le chef, le *basileus*, commençait à ressembler à un navire prenant l'eau de toutes parts… Sa splendeur, ses richesses accumulées pouvaient encore tromper. Constantinople en regorgeait. Et cela aussi l'inquiétait.

Les chefs de ces armées croisées qui arrivaient, si hauts barons fussent-ils, n'étaient à ses yeux que des barbares !

Par les rapports de ses ambassadeurs, par les récits des marchands, Alexis savait comment ils vivaient ! Dans leurs châteaux forts aux murs de pierres nues, aux sols jonchés d'herbes ou de feuillage en guise de tapis, avec pour seuls meubles quelques coffres, des sièges en bois, plus d'habits de laine que de soie et plus d'argent que d'or sur leurs parures.

Sans parler de leurs villes aux rues non pavées, noyées dans la boue à la moindre pluie et jonchées de détritus par tous les temps, avec, de-ci, de-là, des porcs errants.

Lorsqu'ils découvriraient les dalles de marbre de Constantinople, les palais le long du Bosphore, la splendeur de Sainte-Sophie, ses mosaïques brillant à la lumière de centaines de cierges, les chefs croisés pourraient-ils résister à l'envie ?

Et vaincre la tentation de se tailler des fiefs, aux dépens de Byzance, sous le prétexte de délivrer Jérusalem ? Cela, Alexis ne le voulait à aucun prix !

Il attendait des croisés qu'ils reprennent les villes d'Asie Mineure que les Turcs lui avaient enlevées et qu'ils les lui restituent. Pour cela, il était bien décidé à exiger des chefs croisés un serment. Mais le prêteraient-ils ?

À l'arrivée de la première armée, l'empereur Alexis fut un peu rassuré : des Allemands, des Lorrains, des Flamands disciplinés. Leur chef, Godefroy de Bouillon, duc de Basse-Lotharingie, était un de ces hommes du Nord, grand, blond, réputé pour sa force étonnante, capable d'un seul coup d'épée de trancher un homme en deux comme le cou d'une oie... Qu'il fût de surcroît très pieux ne pouvait que rassurer Alexis !

Le frère de Godefroy, Baudoin de Boulogne, l'accompagnait. Grand, lui aussi, mais la barbe et les cheveux très noirs, il s'exprimait avec l'élégance du clerc qu'il avait été un temps, il frappait par son esprit vif et une intelligence politique qui servirait son ambition – il suffisait de voir son regard !

Il discuta avec plus d'âpreté que Godefroy le serment exigé, y consentit du bout des lèvres, prêt à se dédire à la première occasion – son attitude le laissait prévoir !

L'empereur Alexis, guère dupe, distribua néanmoins de l'or, des tissus précieux, des chevaux, même des reliques ! et fit transporter cette première armée sur la côte d'Asie Mineure.

On était à la mi-avril de 1097 et le temps pressait : la deuxième armée des barons approchait. Celle des Normands de Sicile conduits par Bohémond de Tarente et son neveu Tancrède.

Ceux-là, l'empereur Alexis s'en méfiait comme de la peste car il les connaissait ! Le père de Bohémond, Robert Guiscard, avait déjà tenté de lui prendre des provinces dans les Balkans et avait failli réussir...

Le *basileus*, qui s'attendait à affronter des loups, se trouva, avec stupeur, face à des agneaux ! Bohémond prêta tous les serments solennels qu'on voulait, promit de rendre les villes qu'il reprendrait aux Turcs. Son armée se comporta de façon exemplaire : point de pillages, point de vols... Lui-même passa à Constantinople les fêtes de Pâques. Alexis le couvrit à son tour de monceaux d'or, de pierreries... jusqu'à lui promettre le vaste fief dans la région d'Antioche que Bohémond avait tout de même réclamé. Là pointait le bout du museau !...

L'armée normande s'en alla camper docilement aux côtés de celle de Godefroy de Bouillon, sur l'autre bord du Bosphore dans le golfe de

Nicomédie. Seul Tancrède avait refusé le serment de fidélité. Un neveu… c'était négligeable !

Arriva la troisième armée, provençale, celle-là. Son chef, Raymond de Saint-Gilles, comte de Toulouse et marquis de Provence, était le plus puissant seigneur du midi de la France. Il amenait avec lui tous ses vassaux, chevaliers, écuyers, sergents d'armes, arbalétriers, plus une piétaille de gens simples qui avaient eux aussi pris la croix et suivi leur seigneur parce qu'ils étaient fiers de l'avoir pour maître et que beaucoup l'aimaient.

Ce Raymond de Saint-Gilles avait rêvé, un temps, d'être le chef de la croisade. Le pape avait refusé, le sachant hardi chevalier certes, mais plein d'orgueil, emporté, violent, bref, d'un caractère difficile !

Pour plus de sûreté, Urbain II avait donné à son légat, Adhémar de Monteil, mission d'escorter – et de surveiller ! – le comte de Toulouse en se joignant à son armée.

Arrivé à Constantinople, Raymond refusa net de prêter serment de fidélité au *basileus* Alexis et consentit seulement, après qu'on l'eut beaucoup supplié, à jurer que les siens respecteraient la vie de l'empereur. La présence du légat du pape empêcha Alexis Comnène de se montrer trop intransigeant et l'armée provençale traversa, à son tour, le Bosphore. Il n'en restait plus qu'une, qui vint la dernière, composée de Français conduits, à défaut du roi Philippe excommunié, par son frère Hugues de Vermandois et par Robert Courteheuse, fils du roi d'Angleterre, Guillaume le Conquérant.

À son tour, elle traversa.

Les croisés étaient désormais tous en Asie Mineure ; la marche sur Jérusalem pouvait enfin commencer. Et pourtant, il leur fallut deux années pour parvenir devant la ville !

— Deux années ! s'écria Ansiau.

— Oui, reprit le chevalier après un long silence. Deux années emplies de bruit, de fureur, de disputes entre chefs, de combats aussi... Et des difficultés liées au pays lui-même.

Pour comprendre, il faut avoir traversé, comme je l'ai fait, ces hautes terres du plateau d'Anatolie, par endroits quasi désertiques ; ces étendues aux rares points d'eau, brûlantes en été, glacées l'hiver quand soufflent les vents venus de Syrie.

Et les cavaliers turcs surgissant, comme de nulle part, montés sur leurs petits chevaux arabes, allant, venant, virevoltant dans leurs pluies de flèches redoutables.

Les chevaliers croisés sur leurs lourdes montures, avec leurs armures de fer, ressemblaient à de gros scarabées qu'assaillaient des essaims de guêpes !

Le chevalier hocha la tête.

— Non, la route menant à Jérusalem ne fut pas un long chemin tranquille.

Et il y avait aussi les villes qui barraient la route et qu'il fallut prendre d'assaut. Pour Nicée, ce fut facile. Antioche leur donna plus de mal !

Bâtie le long de l'Oronte, non loin de la mer, turque depuis à peine douze années, elle avait été l'une des plus grandes villes de l'empire de Byzance, et surtout elle commandait l'entrée de la Syrie du Nord. Entourée de murailles épaisses flanquées de quatre cents tours, c'était une forteresse à première vue imprenable.

Quand les croisés arrivèrent devant la ville, le 21 octobre 1097, ils en demeurèrent saisis d'effroi. Mais ils devaient s'en emparer pour pouvoir poursuivre leur route.

Alors le siège commença. Long – plus de sept mois – et difficile. Sans machines de guerre, ni béliers, ni tours de bois pour attaquer les remparts, presque sans ravitaillement. Et très vite ce fut l'hiver, le rude hiver anatolien. Il fit presque autant de victimes que les flèches des cavaliers turcs, aussi vite rentrés dans la ville qu'ils en surgissaient !

Quand vinrent les premières chaleurs, ce fut pire. Le manque d'eau devint insupportable, les épidémies se déclarèrent. Le découragement gagnait. Des hommes désertaient. Pierre l'Ermite lui-même partit un matin. Mais Bohémond de Tarente veillait et le fit rattraper et ramener au camp.

Bohémond voulait Antioche plus qu'aucun autre chef croisé. Et il l'obtint.

Le chevalier s'interrompit, une lueur d'admiration aux yeux.

— Ce prince normand de Sicile était un homme étonnant, il avait les qualités qui font les vrais chefs de guerre – ou les grands aventuriers… L'intelligence du terrain, la ruse, jointes à cette bravoure folle qu'il tenait de ses ancêtres normands.

Ces qualités, il en eut besoin. Le siège n'en finissait plus. Et lorsqu'on apprit que deux armées turques arrivaient au secours des assiégés, la situation devint dramatique. Il fallait que les croisés entrent coûte que coûte dans Antioche. Mais comment ?

C'est alors que Bohémond apprit qu'une des quatre cents tours était commandée par un officier d'origine arménienne : un chrétien, mais converti à l'islam – un renégat en somme ! Les Arméniens étaient nombreux dans les villes d'Asie Mineure, les Grecs aussi, ainsi que les Juifs aux côtés des Arabes et des Turcs.

Bohémond réussit à soudoyer le commandant de la tour et, deux nuits plus tard, un premier groupe de chevaliers croisés pénétrait dans la ville, s'emparait par surprise des tours voisines, tandis que le reste des armées s'engouffrait dans les rues. Sauvés pour un temps ! Mais d'assiégeants, ils étaient devenus à leur tour assiégés. Et dans quelles conditions !

À l'intérieur d'Antioche, la situation était presque pire que devant les remparts. Ce fut à nouveau la ronde noire : manque d'eau, famine, épidémies... et la chaleur de juin rendait insupportable la puanteur de centaines de cadavres pourrissant dans les fossés d'enceinte.

Au moment où le désespoir semblait sans recours, un bruit se propagea : le Christ serait apparu à un pauvre clerc de l'armée de Provence, Pierre Bartélemy. Il lui aurait révélé que, sous une dalle de l'église de Saint-Pierre d'Antioche, se trouvait caché un morceau de la sainte lance qui lui avait percé le flanc lors de sa crucifixion. Ce Bartélemy avait déjà eu des visions et le légat du pape se montra sceptique.

On se rendit quand même à l'endroit indiqué. On souleva la dalle. Un morceau de fer rouillé apparut, que Pierre Bartélemy brandit aussitôt à bout de bras. Ce fut du délire.

Si certains continuaient de douter, ils se turent face à l'élan qui soulevait ces hommes d'armes découragés, les précipitant à l'assaut des armées turques qu'ils bousculaient, puis obligeaient à lever le siège.

Là fut le vrai miracle.

Bohémond de Tarente était maître d'Antioche et allait le rester, malgré les serments faits à l'empereur Alexis qui avait eu raison de se méfier !

La prise d'Antioche avait ouvert la route de Jérusalem, mais Bohémond resta dans « sa » ville. Il imitait en cela Baudoin de Boulogne, un autre chef qui s'en était allé le premier avec une poignée de chevaliers vers l'est, vers Édesse, la ville forteresse bâtie sur des rochers dans les montagnes du Taurus. Là, de puissants seigneurs arméniens avaient réussi tant bien que mal à tenir tête aux envahisseurs arabes, puis turcs ; l'arrivée des croisés leur parut une chance à saisir. Ils demandèrent de l'aide. Baudoin y vit l'occasion inespérée de se tailler un fief. Après avoir épousé une princesse arménienne, il s'empara d'Édesse et, comme Bohémond à Antioche, il y resta.

Le chevalier haussa les épaules.

— Pour ces deux-là, la croisade jusqu'à Jérusalem, la délivrance du tombeau du Christ…

Une petite moue acheva sa phrase. Il dit brusquement :

— J'ai froid. Eusébio !

Le serviteur apparut, claudiquant.

— Trouve-nous quelques charbons pour ranimer ce brasero. Il s'éteint. Et j'ai encore un peu à conter.

Eusébio souffla, tisonna, ajouta deux maigres charbons en murmurant :

— Tout ce qui reste.

Le chevalier soupira, fit tourner sa bague autour de son index, d'un air pensif. Ansiau remarqua mieux la pierre qui ornait le centre de l'anneau. Elle était d'un très beau vert.

— Restaient donc, pour poursuivre la route vers Jérusalem, Godefroy de Bouillon et ses Wallons, Raymond de Saint-Gilles avec ses Provençaux et les Français d'Hugues de Vermandois, aux côtés des Normands de Robert Courteheuse.

Rude marche. Le siège d'Antioche avait épuisé les troupes et l'on était au cœur de l'été. Le fer des heaumes brûlait les fronts sous la rudesse du soleil, les cottes de mailles étaient insupportables. Il les fallait pourtant. Car c'était à nouveau la virevolte des cavaliers turcs dans les rocailles dénudées de Judée, leurs tourbillons de flèches qui faisaient des ravages parmi les troupes à pied mal protégées.

À la longue, les ardeurs vacillaient.

Et la tentation grandissait pour les chefs de se tailler eux aussi des fiefs. Même le pieux Godefroy de Bouillon, qui n'avait pas hésité à vendre à l'évêque de Verdun ses terres de Stenay et de Mousson, ni à mettre en gage le pays de Bouillon pour financer son voyage vers Jérusalem, ne résista pas, un temps, à s'emparer d'Arka. Mais Raymond de Saint-Gilles, auquel il avait interdit la conquête de Tripoli, l'en empêcha, lui rendant ainsi la monnaie de sa pièce ! À quoi donc jouaient les chefs croisés en cette fin d'année 1098 ?

Le légat du pape, Adhémar de Monteil, était mort devant Antioche. Lui seul eût pu les rassembler à nouveau. Jérusalem n'avait jamais semblé aussi loin. Sa reconquête ? Plus qu'en aucun temps, une chimère…

C'est alors que monta, gronda, explosa la colère des simples chevaliers, écuyers, sergents d'armes, archers, piquiers, tous gens simples qui avaient pris la croix dans l'unique but de délivrer le tombeau du Christ.

Combien de fois avaient-ils crié : « Jérusalem ! Jérusalem ! » pour se redonner du courage pendant les longs jours de route, quand la pluie cinglait les dos, que le froid mordait les visages ou que, à l'inverse, le soleil vous rôtissait la peau, tandis que les chevaux, assaillis de mouches et nourris de mauvais foin, refusaient d'avancer ?

Et maintenant qu'elle était là, tout près, cette ville dont ils avaient tant rêvé, qu'attendait-on ? Ils ne comprenaient plus leurs chefs, ou ils les comprenaient trop bien ! Leur appétit de fiefs, leur ivresse de conquêtes...

Alors les croisés se révoltèrent et obligèrent leurs seigneurs à reprendre la route en janvier.

Cette fois, ils ne traînèrent pas en chemin !

Le 7 juin, ils atteignaient enfin la Ville sainte. Depuis la colline où ils se tenaient, massés, chacun poussant l'autre pour mieux voir et les soldats à pied se glissant entre les chevaux, ils purent apercevoir les toits plats des maisons, les terrasses, les dômes des mosquées, les minarets, la coupole de l'église reconstruite du Saint-Sépulcre, et celle, plus dorée encore, de la mosquée d'Omar.

Ils tombèrent à genoux dans le même élan de foi qui les avait vus se croiser quatre ans auparavant pour quitter les plats pays du Nord, les collines rousses de Provence, les herbages normands, les forêts d'Ardenne… Alors ils chantèrent des cantiques. Et ils pensaient naïvement, face aux murailles ceinturant la ville, que ces dernières tomberaient d'elles-mêmes comme celles de Jéricho devant Josué, ainsi que le rapportaient les Livres saints !

En fait, il fallut cinq semaines de siège avant de prendre Jérusalem. Mais cette fois, au contraire d'Antioche, ils purent construire des tours mobiles grâce au bois de navires génois arrivés au port voisin de Jaffa.

L'assaut général fut donné le vendredi 15 juillet, à l'heure où le Christ avait été crucifié. Godefroy de Bouillon attaquait le rempart nord et réussissait à prendre l'une des tours de la porte d'Hérode. De son côté Raymond de Saint-Gilles pénétrait dans la ville par le sud, près du mont Sion ; il s'empara de la tour de David – qui était la citadelle. La ville alors se rendit.

Le chevalier baissa la tête vers le maigre rougeoiement des tisons.

— Ce qui suivit ne fut pas beau à voir. Mais aucun saccage ne l'est ! Fait de massacres aveugles, d'incendies, de pillages… À Jérusalem, pendant trois jours, on brûla vifs les juifs réfugiés dans leurs synagogues, on égorgea les musulmans, même ceux qui avaient espéré trouver refuge dans la mosquée d'Al Aksa. On marchait dans le sang et il fallut des jours pour qu'en disparaisse l'odeur, mêlée à celles des cadavres et de la fumée.

Les croisés vainqueurs chantèrent un *Te Deum** de triomphe dans l'église de la Résurrection…

Le chevalier regarda ses mains.

— L'époque était ainsi. Avons-nous, d'ailleurs, tellement changé ? Pense au bûcher d'hier, dressé devant le roi avec l'approbation du pape…

Mais bon, j'en finis avec Jérusalem.

Une fois la ville prise, il fallait d'urgence s'organiser. D'abord avoir un chef. À sa grande colère, Raymond de Saint-Gilles fut écarté et Godefroy de Bouillon proclamé roi.

Il refusa le titre, ne voulant pas, dit-il, porter une couronne royale là où le Christ avait porté la couronne d'épines. Il se fit appeler « avoué du Saint-Sépulcre ».

Beaucoup de chevaliers et d'hommes d'armes, leurs dévotions faites, décidèrent de rentrer chez eux.

Aux yeux de tous, la croisade était terminée.

Le chevalier se tourna vers Ansiau.

— Et elle l'était – dans le principe ! Encore fallait-il ne pas perdre à nouveau ce qu'on venait d'acquérir. Et l'organiser.

Une autre histoire commençait : celle des États francs nouvellement créés, Antioche, Édesse, Jérusalem et bientôt Tripoli. Il faut que je te parle d'eux pour que tu comprennes les croisades qui se succédèrent pendant plus de cent ans. Chacune d'elles fut un appel à l'aide, une demande de secours à l'Occident. Tu verras pourquoi. En admettant que tu ne sois pas déjà lassé et que tu reviennes m'écouter !

— Comment pouvez-vous en douter ?

Le chevalier eut un sourire dont on ne pouvait dire si l'ironie s'adressait à lui-même ou à Ansiau.

— L'expérience…

Il se leva. Le jeune homme l'imita. Il cherchait une formule pour exprimer sa reconnaissance et son plaisir. Le chevalier dit vivement :

— Ne me remercie pas. Il fait très froid ici !

Et il tourna brusquement le dos à Ansiau qui sortit, déconcerté une nouvelle fois.

II

Deuxième soir

Baudoin roi

Le lendemain, quand Ansiau revint rue Serpente, la salle était mieux éclairée. Un chandelier
à trois branches en cuivre ciselé, posé sur le coffre,
attirait l'œil. Des caractères y étaient gravés, à
demi effacés, au-dessus d'une croix pattée* rap-
pelant celle des Templiers.

Le chevalier tenait à la main un fragment de
parchemin qu'il tendit à Ansiau.

— Que lis-tu ?

Ansiau se pencha, vit quelques mots latins
suivis d'une signature.

— *Bauduinus rex*... Baudoin roi... Quel
Baudoin ? Le comte d'Édesse, Baudoin de Boulogne ? Roi ?

— De Jérusalem, à la mort de son frère Godefroy de Bouillon. Il n'était pas le seul prétendant.
Bohémond proposait son neveu Tancrède, le

patriarche de Jérusalem se serait assez bien vu roi d'une monarchie théocratique et Raymond de Saint-Gilles espérait cette fois l'emporter !

Baudoin fut le plus rapide. À peine avait-il appris le décès de son frère, par des chevaliers qui le voulaient pour successeur, qu'il confiait sur-le-champ son comté d'Édesse à son cousin Baudoin du Bourg et se mettait en route. Le trajet était long, d'Édesse à Jérusalem, et jalonné de dangers divers auxquels il échappa. Quand il parvint à Jérusalem, la royauté lui était pratiquement acquise. À la grande fureur de Raymond de Saint-Gilles, évincé une fois encore !

Il n'avait pas les qualités qui font les chefs, celles qui distinguaient Baudoin de Boulogne !

Le chevalier regarda pensivement le parchemin qu'Ansiau avait reposé sur le coffre, la signature aux grandes lettres hardies, un peu raides.

— Une signature très maîtrisée. À son image. La passion ne l'emporta jamais sur la réflexion. Il y avait en lui un peu de la froideur de la mer du Nord qui baigne Boulogne. Mais aussi du calcul. Jusque dans ses mises en scène, plus tard, de souverain oriental, ses burnous tissés d'or, ses bijoux et ce grand bouclier doré dont il se faisait précéder à chacune de ses sorties officielles !

Il aimait le faste et il s'en servait comme d'une arme.

Mais ce jour de Noël 1103 où il fut couronné roi dans l'église de la Vierge, à Bethléem, avec moins de dévotions que son frère Godefroy, son royaume était bien petit ! Il se réduisait à la ville et ses alentours immédiats.

De cette terre si confinée, en dix-huit années de règne, il allait faire le plus puissant des États latins d'Orient, exerçant un droit de suzeraineté sur les trois autres : Antioche, Édesse et Tripoli.

Bauduinus rex… Un grand roi, le vrai fondateur du royaume. Mais au prix de combien de luttes, de jours passés à se battre sans ôter sa cotte de mailles, à manier l'épée et la lance, le plus souvent monté sur son coursier préféré, le bien nommé « Gazelle » ! Il figurait le contrepoint constant des burnous tissés d'or ! Il y avait chez cet ancien clerc, qui avait gardé un goût pour la diplomatie, des traits guerriers. Cette ambivalence fit sa force, ainsi que son habileté à jouer sur la mésentente qui régnait entre les chefs musulmans. Aucun d'eux, ni à Alep, ni à Mossoul, ni même à Damas, n'avait l'envergure d'un Zengi, plus tard, ou d'un Nour el-Din, sans parler de Saladin… Les successeurs de Baudoin n'eurent pas sa chance !

Il aimait les chevaux, les femmes également… Il en épousa trois. Avec aucune il ne se montra élégant. Il se sépara brutalement de la deuxième, la princesse arménienne Arda, mariage qui l'avait pourtant aidé à conquérir Édesse. Et il agit de même avec la troisième, Adélaïde, ce qui lui valut la haine tenace du roi Roger de Sicile dont elle était la mère…

Les scrupules n'étouffaient pas Baudoin, dans ce domaine comme dans bien d'autres. Et son perpétuel besoin d'argent le poussa à opérer parfois des coups de main que n'eût pas désavoués un pillard de grand chemin !

La guerre coûtait cher. Il lui fallait payer des mercenaires, ces « Turcoples » recrutés sur place auxquels il dut très vite recourir. Trop de combats décimaient les chevaliers francs. La relève venue d'Occident se faisait mal. Cette pénurie d'hommes fut, jusqu'à la fin, un lourd handicap pour les États latins d'Orient.

Le roi Baudoin lui-même disait que s'il réunissait tous ses chevaliers, ils n'empliraient pas une rue de Jérusalem !

S'il pouvait compter sur le concours militaire de grands barons devenus ses vassaux, Hugues de Saint-Omer, sire de Tibériade, Geldemar Carpenel à Haifa, Raoul de Mouzon ou Garnier de Grès, ceux-ci tiraient un faible revenu de leurs fiefs. On ne pouvait espérer d'eux une aide financière…

Alors, où trouver cet argent si nécessaire à la survie du royaume ? En pressurant les marchands grecs et arméniens installés là et, quand l'occasion se présentait, en s'attaquant aux autres, ces marchands arabes dont les caravanes empruntaient la route de Damas au Caire. Elle passait près des frontières du royaume de Jérusalem. Qui eût résisté à la tentation de les attaquer ? Baudoin moins qu'un autre !

Et ces marchands n'étaient-ils pas des musulmans ? des païens ? Leurs richesses ne s'avéraient-elles pas l'instrument des émirs, des sultans pour combattre les chrétiens ?

Autant de raisons – bonnes ou mauvaises ! – pour de fructueux coups de main.

Il arrivait pourtant, parfois, que le chevalier se réveille en Baudoin et le pousse à des gestes dans la meilleure tradition des romans courtois. Nouvelle ambivalence de cet étonnant personnage !

C'est ainsi qu'une nuit où il venait d'attaquer par surprise l'une de ces caravanes, on lui signala la présence d'une toute jeune femme qui était sur le point d'accoucher. Ses bijoux, le raffinement de ses vêtements prouvaient qu'elle était l'épouse d'un homme riche et puissant. C'était l'occasion d'obtenir une importante rançon. Baudoin agit tout à l'inverse !

Il la fit descendre doucement du chameau qui la portait, ordonna de dresser une tente, l'y installa, avec les chameaux chargés de poivre et d'épices, de miel et d'huile… lui laissa deux servantes pour aider à l'accouchement et même une chamelle, pour le cas où l'enfant qui allait naître aurait besoin de lait. Au moment de la quitter, il lui donna même le manteau vert qu'il portait pour qu'elle pût s'en couvrir – car les nuits du désert sont fraîches.

Puis il repartit pour Jérusalem avec le reste de la caravane, un butin considérable : or, argent, tissus précieux, en plus de nombreux chevaux, chameaux, ânes et de plusieurs captifs.

Or cette jeune femme était l'épouse d'un puissant chef arabe. Un homme de la caravane qui avait réussi à s'enfuir alla le prévenir de l'attaque, où l'on avait dû s'emparer de son épouse. La sachant proche d'accoucher, le chef se demanda avec angoisse comment la captive supporterait le voyage jusqu'à Jérusalem – et dans quelles conditions ! Il était prêt à payer n'importe quelle rançon pour retrouver sa femme vivante. Et connaissant la réputation du roi de Jérusalem, il ne doutait pas que le montant serait élevé !

Il partit à francs étriers sur la piste du convoi. Quelle ne fut pas sa stupeur d'apercevoir la tente, les servantes, la chamelle!... et, se précipitant à l'intérieur, de retrouver son épouse et son fils premier-né.

Lorsqu'elle lui montra le manteau vert de Baudoin, le geste généreux du roi de Jérusalem acheva d'émouvoir le chef arabe. Il jura sur-le-champ de lui prouver sa reconnaissance dès qu'une occasion se présenterait.

— Un beau geste des deux côtés, fit Ansiau qui avait écouté attentivement.

— Et plus fréquents que tu ne crois. Vois-tu, ils appartenaient tous deux, l'Arabe et le chrétien, à des sociétés féodales régies par des règles très proches. Et pendant les deux siècles où ils vécurent côte à côte, sans cesser de se combattre, de se maudire – les injures des chroniqueurs arabes valent celles des chroniques chrétiennes! –, de se livrer à des massacres inouïs – trois mille prisonniers passés au fil de l'épée ici, là des colonnes de captifs livrées à la fureur de la foule –, eh bien, malgré cela, ils se respectèrent souvent et parfois s'estimèrent.

— Et le chef de l'épouse sauvée tint sa promesse?

— La trahir l'eût déshonoré. L'occasion lui en fut donnée un an plus tard.

Il arrivait parfois que, dans l'ardeur de la poursuite, Baudoin, d'ordinaire prudent, ne prît pas garde au danger. Un soir qu'il pourchassait ce qu'il pensait être une simple bande de quelques archers, il se trouva face à toute une armée dont la bande était l'avant-garde. Tenter le combat avec la poignée d'hommes de sa suite aurait été une folie. Ils se réfugièrent en hâte dans la petite ville voisine de Ramla. Les murailles étaient dérisoires, la tour principale incapable de résister à un assaut.

L'armée ennemie entoura la ville. Seule la nuit qui tombait empêcha un assaut, la capture du roi... ou sa mort.

La situation semblait désespérée, lorsque au cours de la nuit un mystérieux visiteur demanda à parler à Baudoin. C'était le chef arabe dont le roi avait libéré la jeune épouse. Il venait payer sa dette en prévenant Baudoin qu'une position – qu'il lui indiqua – était moins bien gardée. Une possibilité de fuir par là s'offrait à l'assiégé.

Baudoin la saisit aussitôt. Accompagné d'un seul écuyer et de quelques cavaliers, il s'élança sur son coursier « Gazelle ». Mettant à profit l'obscurité de la nuit, il traversa les lignes ennemies à l'endroit indiqué par le chef arabe.

Le temps que l'adversaire se lance à sa poursuite, il avait pris assez d'avance pour le distancer et être sauvé. Il fut le seul. Tous ses compagnons furent rattrapés et tués.

Il erra deux jours et deux nuits dans les montagnes alentour pour échapper aux recherches, avant de pouvoir atteindre, mourant de soif, de faim et de fatigue, le petit port d'Arsulf. De là, il gagna en bateau Jaffa, le port de Jérusalem.

Le bruit de sa mort s'était déjà répandu et son retour parut à tous un miracle.

Pendant des années, il continua à se battre pour agrandir son royaume. Il conquit tout le littoral du nord d'Ascalon au sud de Tyr, prit Acre, Beyrouth, Sidon, poussa, à l'est, au-delà du Jourdain et à l'ouest jusqu'aux portes de l'Égypte – dont il comprit le premier que ce serait un jour la clef de la Palestine.

C'est d'ailleurs en Égypte qu'il tomba malade, mais il avait pu voir avec orgueil une branche du Nil… Il mourut peu après, le 2 avril 1118.

Il laissait, à sa mort, un royaume dix fois plus grand qu'il ne l'avait trouvé, dont il avait été le vrai fondateur.

Désormais, mis à part Édesse enfoncée dans les montagnes, Antioche, le comté de Tripoli et le royaume de Jérusalem formaient un ensemble compris tout du long entre la mer et le désert, la plaine côtière et les montagnes du Liban et de Judée.

Baudoin, cadet de la maison de Boulogne devenu comte d'Édesse, puis roi de Jérusalem, avait été l'une des personnalités éminentes de la première croisade.

Avec Bohémond de Tarente. Mais le destin de ce dernier fut bien différent. Pour s'être perdu en rêves chimériques, pour avoir cédé Antioche à son neveu Tancrède dans l'espoir de s'emparer de Constantinople… celui qui avait été un prince flamboyant était mort, presque oublié et humilié, en Italie, dix ans avant Baudoin. Il laissait un fils de deux ans, Bohémond, lui aussi, qui deviendrait un jour prince d'Antioche à son tour.

Quant à Raymond de Saint-Gilles – dernière grande figure de la croisade –, de déceptions en renoncements obligés, il avait fini par se contenter de la région de Tripoli dont il avait fait un comté sans pouvoir s'emparer de la ville elle-même qu'il assiégeait encore lorsqu'il mourut.

Le chevalier, songeur, fit une longue pause. L'entrée d'Eusébio portant deux pots de cervoise le ramena au présent. Il tendit un pot à Ansiau et poursuivit son récit.

Les Templiers

— Le roi Baudoin était mort sans enfants en dépit de ses trois mariages successifs. Son cousin Baudoin du Bourg – celui auquel il avait confié le comté d'Édesse – fut choisi pour lui succéder.

Le nouveau roi était bien différent de son oncle. Aussi blond que l'autre était brun, aussi fidèle à son épouse, la princesse arménienne Morfia, que l'autre était volage. Calme, ennemi du faste, courageux au combat, mais sans témérité, il se battit, pendant toute la durée de son règne, contre les mêmes ennemis et pour les mêmes raisons que son prédécesseur. Encore qu'il n'eût qu'à défendre ce que son cousin avait conquis.

Deux places importantes restaient aux mains des musulmans : Tyr et surtout Ascalon, clef de l'Égypte et menace constante pour la plaine de Ramla.

Or la principale route d'accès à Jérusalem, empruntée par les pèlerins venant en Terre sainte, passait par Ramla. Déjà peu sûre dans la traversée de la plaine côtière, elle devenait impraticable, sans escorte armée, dans les passes de Judée entre Ramla et Montjoie.

C'est alors que, devant les dangers auxquels les pèlerins étaient exposés, un seigneur champenois, Hugues de Payens, eut l'idée de créer un ordre de religieux armés, chargés de défendre les pèlerins et de veiller à la sécurité des routes de pèlerinage entre le port de Jaffa et Jérusalem.

Hugues de Payens, envoyé en mission en France par le roi Baudoin II, rencontra Bernard de Clairvaux – le futur saint Bernard, réformateur de Cîteaux et grande figure religieuse du siècle. L'idée de ces soldats du Christ, sorte de milice chrétienne, lui plut. Il plaida en leur faveur auprès du pape, qui approuva la règle et les statuts du nouvel ordre.

Installés près du palais royal, dans la mosquée d'Al Aksa qu'on disait bâtie sur les ruines du temple de Salomon, les membres de la confrérie furent, pour cette raison, bientôt désignés sous son nom : les chevaliers du Temple, ou Templiers, étaient nés.

Si, au début, l'idée de ces moines soldats choqua les esprits – un moine étant consacré à la prière, non à la guerre ! –, elle fit vite son chemin.

Le succès de l'ordre nouveau fut tel que les Hospitaliers* de Saint-Jean de Jérusalem, fondés bien avant la croisade pour soigner les pèlerins malades, se transformèrent eux aussi en guerriers.

On vit bientôt, lors de chaque combat, sur les cottes de mailles flotter les manteaux blancs à croix rouge pattée des Templiers au côté des manteaux noirs à croix blanche des chevaliers hospitaliers.

Les Templiers devinrent rapidement fort nombreux. Et fort riches, hélas…

Le chevalier soupira et fit tourner sa bague qui lança de petits éclairs verts.

— Cette richesse qui causa plus tard leur perte leur vint très vite. Sans attendre, les donations se multiplièrent, les legs de terres, de maisons, d'argent. À défaut d'aller en pèlerinage à Jérusalem – qui était bien loin ! –, on léguait… aux approches de la mort, pour obtenir la rémission de ses péchés et assurer son salut éternel…

Il fallut gérer ces biens qu'on ne pouvait transférer en Orient. D'autres maisons de Templiers se créèrent en France, en Angleterre, en Italie. Des transferts de fonds s'organisèrent entre Occident et Terre sainte.

Le chevalier dit avec un début de colère :

— Oui, c'est vrai, le Temple fut aussi une banque. Le roi de France confia le trésor royal au Temple de Paris et celui d'Angleterre au Temple de Londres. Mais comment oublier que cet argent servit aussi à bâtir toutes ces forteresses jalonnant la frontière du royaume : Tortosa, Safed, Beaufort, Chastel Blanc et d'autres... ? Les Hospitaliers eux aussi se mirent à construire, dans un esprit d'émulation. Leur fameux Krak* des Chevaliers, le plus grand de tous, pouvait abriter jusqu'à cinq mille personnes ! Un chiffre énorme.

Pour les Templiers, le malheur eut certes sa source dans leur excès de richesse qui excita des jalousies, partant des vilenies, mais aussi dans leurs statuts.

Répartis en commanderies regroupées en provinces, tous étaient placés sous l'autorité du grand maître de l'ordre, qui prenait les décisions importantes avec la seule assistance d'un petit nombre de chevaliers et ne dépendait ni du roi ni du patriarche de Jérusalem, mais uniquement du pape. Là résidait le danger. Pour le Temple comme pour le royaume.

Tant que les rois de Jérusalem furent assez puissants, ils imposèrent leur volonté aux Templiers. Mais le jour où la monarchie s'affaiblit, où le pouvoir s'émietta aux mains des grands barons, la tentation fut forte pour les Templiers de s'affranchir de son autorité, de constituer une Église dans l'Église et un État dans l'État.

C'est ainsi que des grands maîtres trop orgueilleux ou trop incapables devaient mener à des désastres où le royaume sombrerait.

Le chevalier s'interrompit, un pli amer aux lèvres, puis il dit avec force :

— Mais sous Baudoin II, les Templiers furent des guerriers courageux, magnifiques. Ils formèrent ce dont le royaume avait le plus besoin : une armée permanente, aguerrie, et souvent héroïque.

Pour moi, avec leurs parts d'ombre et de lumière et malgré leur légende noire en partie inventée, les Templiers restent inséparables de la croisade. Et ils le resteront… jusque sur le bûcher !

Le chevalier avait prononcé la dernière phrase avec tant de violence qu'Eusébio surgit, l'air inquiet.

— Il trouve que je m'exalte trop. Il craint pour moi, fit avec un demi-sourire le chevalier. (Il tendit à Ansiau le parchemin qu'il avait reposé sur le coffre.) Prends-le ! Ce sera un souvenir si demain tu ne revenais pas ou que, moi, je ne sois plus là… Sait-on ?

— Maître, dit vivement Eusébio en se signant, ne provoquez pas la mort ! Elle écoute !

Le chevalier hocha la tête.

— Il délire… À son habitude… Rentre chez toi, Ansiau. Pourquoi n'as-tu pas de lanterne ? Il est tard.

— La nuit est claire et je n'habite pas loin.

Il se retrouva dans la rue, le parchemin à la main et la tête bourdonnante de questions : le chevalier avait-il été Templier ? Sa vie était-elle, de ce fait, en danger ? Et cette bague si belle, de qui la tenait-il ?

III

Troisième soir

D'incessants combats

Ansiau dormit mal. Il n'osait parler à personne du chevalier, pas même à Simon, son meilleur ami, comme lui étudiant en philosophie. La journée lui parut interminable, les cours sans intérêt. La nuit vint enfin.

Il courut jusqu'au logis de la rue Serpente, dut frapper plusieurs fois avant qu'Eusébio entrouvre prudemment la porte. À la vue d'Ansiau, il parut soulagé, dit à voix basse :

— Il n'est pas là. Mais entrez !

— Il n'est pas là ?

— Il est sorti tôt ce matin et n'est pas rentré. Je lui ai dit cent fois que c'était imprudent de se montrer ainsi au grand jour et qu'il fallait attendre au moins la nuit pour sortir ! Mais allez retenir un destrier qui a humé l'odeur du combat !

— De quel combat parles-tu ?

Eusébio n'eut pas le temps de répondre. La porte s'ouvrait. Le chevalier entra, essoufflé comme s'il avait couru.

Il dit d'un ton satisfait :

— Je leur ai encore échappé ! Mais cette fois, la poursuite fut rude et j'y ai laissé, je crois, un morceau de ceci !

Il montra sa cape déjà effrangée, à présent en lambeaux.

— C'est un morceau de vous-même que vous laisserez, la prochaine fois ! grogna Eusébio.

— Donne-nous plutôt à boire !

— Il n'y a plus rien !

— Plus rien ?

Eusébio secoua la tête et se retira. Le chevalier jeta un coup d'œil vers le coffre d'où le chandelier avait disparu – et la lumière d'appoint avec ! –, puis vers le trépied en fer où ne rougeoyait aucun tison.

— Eusébio a des vengeances subtiles ! Ni cervoise ni feu ! Il va falloir nous en accommoder !

Le ton était plus allègre que mécontent. Il tenta de ramener sur lui les morceaux de sa cape, n'y parvint pas, haussa les épaules et s'assit :

— Où en étais-je resté hier soir ?

— Au règne de Baudoin II et aux Templiers.

— Il eut bien besoin de leur aide ! Il passa son règne à combattre, presque toujours en Syrie du Nord pour secourir Antioche, sans cesse menacée par des Turcs que conduisait un chef redoutable, Elgazi. Les territoires les plus avancés, ceux au-delà de l'Oronte, furent perdus, reconquis, perdus encore. Une sorte de ballet guerrier qui tourna au drame lors du désastre du « Champ du sang ».

Le chevalier hocha la tête.

— Il est des noms prédestinés et des chefs trop sûrs d'eux. Ce fut le cas, ce jour-là, de Roger de Salerne, le régent d'Antioche pendant la minorité du jeune Bohémond II – le fils du grand Bohémond. Ce Roger avait les qualités – et les défauts – d'un brillant chevalier. Une grande confiance en lui, alliée à une grande bravoure, et un manque certain de discernement. Sa conduite, à ce moment-là, le prouve.

Le chef turc Elgazi, à la tête d'une grande armée, venait de quitter Alep et se dirigeait vers Antioche. Le roi Baudoin, averti par Roger, s'était mis en route avec ses troupes pour secourir le régent d'Antioche ; le comte d'Édesse faisait de même de son côté. La sagesse commandait de les attendre pour attaquer.

Roger n'en fit rien, décida de l'affronter seul avec son armée plutôt faible, sept cents chevaliers et quelques milliers de piétons à peine.

Il installa son camp à mi-chemin d'Alep, dans une gorge étroite, entre deux montagnes. La position était certes imprenable, mais favorisait l'encerclement ! Ce qui ne manqua pas de se produire.

Quand l'aube se leva, les Turcs étaient partout et en nombre tel que Roger comprit aussitôt quelle double erreur il avait commise ! Ce combat perdu d'avance et par sa faute, Roger voulut, du moins, le mener en preux chevalier du début à la fin. Car on vit ce spectacle à peine croyable : toutes les hauteurs couvertes de soldats ennemis et Roger qui, après avoir assisté à la messe et s'être confessé, appelait ses écuyers, sifflait ses chiens, se faisait apporter ses faucons et... partait chasser ! Oh, peu de temps, mais quand même...

Le chevalier regarda Ansiau qui faisait la moue.

— Cette insouciance, affectée bien sûr, peut irriter, je le conçois, mais elle me plaît assez. La suite fut le désastre prévu. Malgré plusieurs charges héroïques des chevaliers d'Antioche, Roger resta bientôt seul avec une poignée de fidèles. Sans reculer ni tenter de fuir, il se lança au plus épais de la mêlée et fut tué.

De toute son armée, cent quarante hommes seulement réussirent à s'échapper…

Autant dire que lorsque le roi Baudoin se présenta avec ses troupes, toute la chevalerie normande d'Antioche était anéantie. Et la principauté n'avait plus de régent.

Le jeune prince héritier Bohémond II vivait en Italie auprès de sa mère, Constance de France, qui avait été la dernière épouse de Bohémond : il était bien trop jeune pour régner sur Antioche.

Ce fut donc le roi Baudoin qui assuma la régence. La charge était lourde et s'accrut encore quand le vieux Jocelin de Courtenay – ultime survivant de la première croisade –, désigné par Baudoin comme comte d'Édesse, tomba dans une embuscade tendue par un neveu d'Elgazi, Balak. Caché aux abords d'une plaine marécageuse, il surprit Jocelin qui arrivait à la tête d'une centaine de chevaliers. Les marais rendaient impossible une charge. Les chevaux s'embourbèrent, les chevaliers durent combattre à pied, gênés par le poids de leurs lourdes armures, en butte à la pluie de flèches des archers turcs, plus à l'aise, eux, sur leurs petits chevaux arabes. Ils durent se rendre, et Jocelin remit son épée à Balak.

Ce dernier lui proposa de le libérer sur-le-champ, lui et ses chevaliers, s'il lui cédait le comté d'Édesse. Ce à quoi le vieux Jocelin répondit avec verdeur :

« Nous sommes comme des chameaux chargés de litières : quand l'un de ces animaux périt, on passe son bagage à un autre, de même ce que nous possédons a passé maintenant en d'autres mains ! »

Les mains du roi de Jérusalem... qui dut assumer, en plus de la régence d'Antioche, celle du comté d'Édesse.

Et voilà que, pour achever cette période de catastrophes, le roi de Jérusalem lui-même tomba à son tour dans une embuscade alors qu'il chassait au faucon. Il fut conduit par Balak dans la forteresse de Karpurt où il retrouva, dans les fers, Jocelin de Courtenay !

La situation devenait très inquiétante : ni Antioche, ni Édesse, ni Jérusalem n'avaient de chefs. Seul le comte de Tripoli était encore à la tête de ses États.

Mais c'était sans compter avec l'esprit de ruse du vieux lion Jocelin ! Très aimé des Arméniens de son comté d'Édesse, il eut l'idée de les appeler au secours. Cinquante d'entre eux conçurent un plan audacieux pour le délivrer. Ils se déguisèrent, qui en moines, qui en marchands, qui en mendiants. Des armes cachées sous leurs vêtements, ils se présentèrent aux portes de Karpurt sous prétexte de se plaindre au gouverneur d'injustices dont ils auraient été victimes. Les croyant gens du pays, on les laissa entrer dans la ville. Avec la complicité d'autres Arméniens travaillant à la forteresse, ils se précipitèrent vers les geôles où croupissaient Baudoin et Jocelin, égorgèrent les gardes, libérèrent les prisonniers de leurs chaînes et s'emparèrent de la forteresse.

Mais que faire ensuite ? Karpurt était située au fond d'une vallée perdue, au cœur des monts du Taurus. Baudoin décida de s'y maintenir, tandis que Jocelin essaierait d'aller chercher du secours en Syrie.

Il sortit de nuit, accompagné de seulement trois Arméniens qui connaissaient le pays. Se cachant le jour, marchant la nuit, se nourrissant d'un peu de viande qu'ils avaient emportée et buvant le vin contenu dans deux outres, ils parvinrent au bord de l'Euphrate.

Il fallait franchir le fleuve. Aucune barque à l'horizon et Jocelin ne savait pas nager.

Il gonfla les deux outres, les attacha à sa ceinture et, poussé par les Arméniens, excellents nageurs, il atteignit l'autre rive. Épuisé, mourant de faim et de fatigue, les pieds en sang car ses chaussures s'étaient déchirées sur les roches de la montagne, il s'écroula sous un noyer, derrière des buissons, et s'endormit.

Pendant ce temps, un des Arméniens, à la recherche de quelque nourriture, rencontra un paysan, arménien lui aussi, qui lui offrit des figues et du raisin. Amené près de Jocelin, il le reconnut et l'aida à rejoindre Turbessel. Pour mieux donner le change, il le fit monter sur l'ânesse qui portait jusque-là sa femme et mit dans les bras du comte leur nourrisson qui hurlait et se débattait !

Le cortège arriva à Turbessel. Jocelin était sauvé. Restait à trouver une armée pour se porter au secours du roi Baudoin. À Antioche, il n'y avait plus assez d'hommes.

Jocelin courut à Jérusalem demander de l'aide. Mais la route était longue. Il eut beau se hâter de réunir tous les chevaliers de la ville, partir avec eux à marche forcée, en arrivant à Turbessel, ils apprirent que Balak avait repris la forteresse de Karpurt : le roi Baudoin était à nouveau prisonnier ! L'armée de secours n'avait plus qu'à s'en retourner, la rage au cœur.

Dans sa colère, Jocelin ravagea tous les jardins* entourant Alep avant de s'éloigner. En représailles, le cadi* d'Alep fit transformer chacune des églises de la ville en mosquée…

Le chevalier eut un demi-sourire et murmura:
— Échec et mat !

Le roi Baudoin resta deux ans prisonnier de Balak. Seule la mort soudaine de son geôlier permit la libération de Baudoin. Un grand seigneur arabe, ami personnel du roi, s'entremit pour hâter les négociations de la rançon.

Mais la libération du roi coûtait cher ! En plus de quatre-vingt mille dinars* d'or, il fallut abandonner cette province d'outre-Oronte si âprement disputée entre Antioche et les Turcs, et remettre comme otages, jusqu'au paiement total de la rançon, la plus jeune fille du roi, Yvette, qui avait à peine six ans, et le fils de Jocelin de Courtenay.

Une autre épreuve – d'une nature différente et liée toujours à Antioche – attendait encore Baudoin, avant sa mort.

Le jeune Bohémond II, devenu majeur, avait pris possession de sa principauté. Il avait la blondeur et la séduction de son père, sa folle bravoure aussi, hélas ! Marié depuis à peine trois ans avec la seconde fille du roi de Jérusalem, Alix, il fut tué dans un combat. Ils avaient une fille, Constance.

Elle devenait l'héritière de la principauté, mais comme elle était mineure, la régence revenait à sa mère.

Alix était belle, passionnée. Elle s'était mal entendue avec son mari et leurs disputes avaient un temps nourri les ragots de la principauté. Était-ce pour cela qu'elle aimait si peu sa fille ? Ou le pouvoir fut-il une compensation à sa déception amoureuse ? Très vite, elle ne vécut plus que pour l'exercer. Et l'exercer seule.

Plusieurs seigneurs de la cour d'Antioche commencèrent à s'inquiéter et lorsque Alix parla de faire entrer Constance au couvent de manière à régner seule sur Antioche, ils décidèrent d'avertir le roi de Jérusalem et de demander son arbitrage.

Alix, se doutant bien de ce que serait la réponse de son père, envoya sans hésiter un messager au plus rude adversaire des États francs, un nouveau venu, l'émir de Mossoul, Zengi. Elle lui demandait secours et protection. Contre sa fille, contre les siens.

Par chance, le messager fut capturé, puis conduit au roi Baudoin. Interrogé, il avoua tout. Le roi, d'abord, n'en crut pas ses oreilles ! Sa propre fille le trahissait, en trahissant – qui pis est ! – son enfant, sa religion, tous les siens !

Il entra dans une grande colère et partit sur-le-champ pour Antioche.

À l'annonce de sa venue, loin de se soumettre, Alix fit fermer les portes d'Antioche au nez de son père, le roi de Jérusalem et son suzerain.

Elle croyait pouvoir compter sur le concours de la population. Il n'en fut rien. Et l'imprudente Alix dut s'humilier devant son père et solliciter, à genoux, son pardon.

Il le lui octroya, mais lui enleva tous droits à la régence d'Antioche qu'il assuma de nouveau, au nom, cette fois, de sa petite-fille Constance. Prudemment, il relégua Alix loin de la principauté, à Laodicée.

Ce Zengi auquel Alix avait cru bon de faire appel était en train de se révéler comme le plus dangereux adversaire que les chrétiens* d'Orient aient jusque-là affronté. Il avait compris que leur force tenait, en partie, à la division des États musulmans et décida qu'il devait y mettre fin.

Pour cela, il relança l'idée du *djihad*, la « guerre sainte », restée jusque-là sans écho, et lui donna un objectif précis : reconquérir Jérusalem et tous les États chrétiens d'Orient.

D'abord gouverneur de Mossoul, il s'empara du pouvoir à Alep et, prenant cette ville pour base, commença à lancer des attaques contre les possessions franques de la Syrie du Nord. Les plus proches, Antioche et Édesse, étaient les plus directement menacées. Plusieurs forteresses chrétiennes tombèrent ainsi entre les mains de l'atabeg* de Mossoul. Il devenait évident qu'avec Zengi un pouvoir fort s'installait en Syrie musulmane.

C'est alors que Baudoin mourut et sa succession n'allait rien arranger…

Après Alix, Mélisende...

Le chevalier fit une pause, soufflant sans façon dans ses doigts pour tenter de les réchauffer. Ansiau avait glissé les siens sous sa grosse pèlerine qu'il n'avait pas ôtée. Même ainsi couvert, il gelait !

— Parler d'amour va peut-être nous redonner quelque chaleur, dit le chevalier en s'efforçant de prendre un ton allègre. Puisqu'on l'associe toujours à « flamme », « ardeur », bref à tout ce qui nous manque si cruellement ce soir !

Et Dieu sait si la princesse Mélisende était ardente ! Des quatre filles du roi Baudoin II, elle était l'aînée. C'était donc elle qui héritait du royaume de Jérusalem à la mort de son père.

La sachant passionnée, autoritaire avec un goût certain pour le pouvoir, mais démunie du sens politique qui fait les grands souverains, et capable aussi de gestes très irréfléchis, le roi l'avait mariée avec un homme dont il pensait qu'il modérerait son épouse. Par ailleurs, l'alliance était flatteuse : Foulque était un des grands féodaux du royaume de France, comte d'Anjou, ami et protecteur des Templiers.

Mais il était laid, court de taille, les cheveux roux, les yeux petits et surtout bien plus âgé que Mélisende.

Or Mélisende avait un cousin qu'elle connaissait depuis l'enfance, qui vivait à la cour car il était orphelin, qui avait été de toutes les chasses, de toutes les promenades, de toutes les fêtes. Le roi Baudoin l'aimait comme le fils qu'il n'avait pas eu. Cet Hugues du Puiset était élégant, courtois, avec le teint clair et devint l'un des plus beaux chevaliers du royaume. Comme il ne possédait rien, le roi lui avait fait épouser la veuve d'un important seigneur, le sire de Sidon et de Césarée, dont elle avait eu deux fils. Hugues devint comte de Jaffa.

Certes, Mélisende avait épousé Foulque. Hugues n'en continua pas moins à venir à la cour et, surtout, à passer de longs moments seul en compagnie de sa cousine. On commença à chuchoter, puis à parler plus ouvertement : de l'amitié à l'amour, le pas est vite franchi ! Le roi Foulque devint jaloux et le montra. Mélisende ne renonça pas pour autant à recevoir Hugues, seule, dans ses appartements du palais royal. Hugues, lui, sentit le danger et tenta de se trouver des défenseurs parmi les barons. Peu à peu, la cour se divisa entre partisans et adversaires de la reine et de son beau chevalier.

Le scandale éclata lorsqu'un des fils qui n'avait jamais accepté le remariage de sa mère avec Hugues – et, peut-être, après entente secrète avec le roi Foulque ? – en présence de toute la cour accusa Hugues de trahison envers le roi Foulque, en donna clairement la raison et le provoqua en défi.

Hugues nia l'accusation, mais accepta le défi et le jugement par les armes. Craignit-il de devoir faire un faux serment pour sauver l'honneur de la reine ? Ou fut-ce par lâcheté ? Au jour fixé pour le duel judiciaire, il ne se présenta pas. Il fut donc condamné par défaut et coupable de trahison.

Il alourdit sa faute en s'enfuyant à Ascalon demander protection au sultan d'Égypte. C'en était trop ! Tous ses amis l'abandonnèrent et jusqu'aux habitants de sa ville de Jaffa.

Le patriarche de Jérusalem s'entremit, prêcha au roi la clémence, à grand renfort de citations bibliques et évangéliques. Pour finir, Hugues fut banni du royaume pendant trois ans.

Par témérité – ou dans un élan pour Mélisende – Hugues revint à Jérusalem en attendant le bateau qui l'emmènerait en Italie, pour son exil.

Un soir qu'il jouait aux dés dans une taverne, un chevalier breton, croyant complaire au roi, le frappa de plusieurs coups de couteau. On le crut mort. Il survécut et ne mourut que quelques années plus tard, dans son exil italien.

Mais le mal était fait, aux yeux de Mélisende. Avec sa nature violente, elle accusa son époux d'avoir poussé le chevalier breton à commettre ce crime. Pour se disculper, le roi Foulque fut contraint de mettre à mort dans d'horribles supplices celui qui n'avait, à vrai dire, péché que par naïveté, en croyant faire sa cour…

Mais cela ne suffit pas. Mélisende voua une haine telle à ceux qu'elle supposait – à tort ou à raison – avoir voulu la mort d'Hugues que plusieurs prirent peur. Craignant d'être victimes, par poison ou poignard, ils s'entourèrent de mille précautions. Le roi Foulque lui-même se sentit un temps menacé par le désir de vengeance de son épouse…

Puis le calme revint. Foulque était âgé, il aimait sa jeune femme. Elle vit le parti qu'elle en pouvait tirer. Son influence grandit et le goût qu'elle avait du pouvoir s'accrut.

La première à en tirer profit fut Alix, que la sagesse du roi Baudoin avait reléguée loin d'Antioche, dans le port de Laodicée. Mélisende aimait Alix – comme elle aimait ses autres sœurs, Hodierne, qui était devenue comtesse de Tripoli, et Yvette, la benjamine, entrée, elle, au couvent.

Mélisende intervint donc auprès de son mari et Alix revint à Antioche. Il ne fallut pas deux mois pour qu'elle se comporte en régente de la principauté en lieu et place du roi de Jérusalem ! Seul, le patriarche d'Antioche aurait pu lui faire obstacle, mais il était lui-même trop ambitieux et trop habile pour ne pas appuyer Alix. À eux deux, ils gouvernèrent bientôt la ville, au nom de l'héritière, Constance, qu'ils tenaient à l'écart de tout.

Foulque avait beau vouloir complaire à Mélisende, la position d'Antioche, sous la menace constante du puissant atabeg de Mossoul, Zengi, ne permettait pas qu'on laissât la principauté entre les mains d'une femme sans scrupules – elle l'avait montré ! – et d'un « aventurier égaré dans les ordres »…

Il décida de marier Constance. Mais il fallait un homme qui eût assez de poids pour tenir tête à l'impérieuse Alix et à son patriarche. De poids ou de ruse…

Après bien des hésitations, le choix se porta sur Raymond de Poitiers, fils du duc d'Aquitaine, Guillaume IX. Il appartenait à l'une des principales familles princières de France. La reine Aliénor, épouse du roi Louis VII, était sa nièce.

Raymond se trouvait alors à la cour du roi d'Angleterre qui l'avait armé chevalier. Dans le plus grand secret – par peur des intrigues d'Alix qui eût fait échouer l'affaire si elle en avait eu vent –, le roi et les barons envoyèrent en Angleterre pour toute ambassade un simple moine hospitalier.

Raymond de Poitiers accepta la proposition du roi Foulque et se mit en route, accompagné de quelques chevaliers de sa suite. Mais le secret fut éventé. Pour échapper à ses poursuivants, Raymond de Poitiers dut achever son voyage déguisé en marchand… Parvenu à Antioche, il se fit connaître des barons qui l'avaient envoyé chercher, vit en secret le patriarche, lui fit mille promesses et ils convinrent ensemble d'une ruse pour duper Alix.

Le patriarche vint trouver la régente et lui raconta que ce beau chevalier – Raymond passait pour l'un des plus beaux chevaliers de son temps…

Encore un ! murmura le chevalier avec un demi-sourire. – … Ce beau chevalier, donc, venait pour… l'épouser, elle, et non sa fille. Alix était encore jeune, toujours belle. Pourquoi n'aurait-elle pas cru Raoul de Domfront, jusque-là son allié ? Elle attendait donc avec impatience le jour de ses noces lorsqu'elle apprit que le patriarche était en train d'en célébrer d'autres : celles de sa fille Constance avec… Raymond de Poitiers. En présence de tous les barons ralliés à eux.

La régence était terminée. Pleine de rage et d'humiliation, Alix regagna Laodicée qu'elle ne devait plus quitter.

Le roi Foulque mourut d'une banale chute de cheval, alors qu'il se promenait avec Mélisende et qu'il tentait d'attraper un lapin surgi d'un fourré. Le cheval buta, renversa son cavalier et s'abattit sur lui.

Mélisende se jeta sur le corps, poussa beaucoup de cris, mais ne pleura pas – ce qui fut remarqué… Son fils Baudoin, le futur roi, n'avait que treize ans, le second, Amaury, qu'elle préférait ouvertement, en comptait six. La mort de leur père en faisait les héritiers du royaume de Jérusalem dont Mélisende devenait régente, en attendant la majorité de Baudoin. Or, comme sa sœur Alix autrefois à Antioche, Mélisende aimait trop le pouvoir pour ne pas tenter de le conserver aussi longtemps que possible.

Mais à mesure que le temps passait, le jeune prince Baudoin, plein de bravoure au combat, gagnait successivement plusieurs batailles contre Zengi et il supportait avec une impatience croissante la tutelle de sa mère, qui se montrait de plus en plus jalouse de son autorité.

De leur côté, les barons poussaient Baudoin à s'affranchir de l'autorité de sa mère, et surtout de celle de Manassé d'Hierges que Mélisende avait nommé connétable du royaume et que les barons détestaient pour sa morgue.

À la cour de Jérusalem, une lutte sourde commençait à s'engager. Zengi, tenu au courant de la situation par ses espions, jugea le moment favorable pour attaquer le plus vulnérable des États francs : le comté d'Édesse.

Hélas, le vieux Jocelin de Courtenay était mort, et son fils, Jocelin II, appartenait à cette nouvelle génération, née dans ces terres conquises de mariages orientaux : on les baptisait les « Poulains », à l'image de ces jeunes chevaux trop souvent déshabitués de l'effort par l'abondance des herbages !…

Le nouveau comte d'Édesse était indolent, amateur de femmes et de jeux de dés, et passait son temps non à Édesse, mais dans la ville, plus agréable, de Turbessel dont il avait fait la seconde capitale de son comté.

C'est là qu'il se trouvait quand on vint lui annoncer que Zengi attaquait Édesse. Affolé, il envoya messagers sur messagers à son voisin le plus proche, le prince d'Antioche. Raymond de Poitiers haïssait Jocelin qu'il accusait de l'avoir entraîné dans une désastreuse aventure contre Byzance.

Il refusa de l'aider. Or, lui seul eût pu sauver Édesse. C'était d'ailleurs son intérêt. Car, Édesse tombée aux mains de Zengi, Antioche allait se trouver en première ligne. La frontière ne serait plus l'Euphrate, mais l'Oronte. Raymond de Poitiers devait le comprendre, amèrement, plus tard…

Si le roi Foulque avait vécu, il aurait possédé l'autorité nécessaire pour obliger Jocelin et Raymond à se réconcilier. Mélisende n'avait pas cette autorité, ni d'ailleurs la volonté de l'avoir. Le royaume de Jérusalem seul l'intéressait. Politique à courte vue ! Sollicitée à son tour par un Jocelin aux abois, elle envoya bien des troupes, mais elles arrivèrent trop tard. Zengi venait de conquérir Édesse.

Jocelin tenta de reprendre sa ville en mettant à profit l'assassinat de Zengi par l'un de ses serviteurs. Mais les deux fils de ce dernier se partagèrent aussitôt l'héritage. Saf Adi prit Mossoul, Nour el-Din Alep. Il se révéla vite un adversaire redoutable. Excellent guerrier, habile tacticien, il reprit à son compte le but de son père, occuper toute la Syrie et en chasser les Francs.

Face à un tel adversaire, Jocelin, en tentant de reprendre Édesse, courait au désastre. L'échec fut total. Tout le comté tomba.

Quand la nouvelle parvint en Occident, elle fit l'effet d'un coup de tonnerre ! Le comté d'Édesse, premier État latin conquis sur les musulmans, faisait figure de symbole. Et que, pour la première fois, les chrétiens soient vaincus provoqua la stupeur.

C'est alors que naquit l'idée d'une croisade pour reconquérir Édesse.

— Et elle aboutit ? demanda Ansiau que le froid commençait à engourdir.

— À rien ! fit le chevalier laconique en s'enveloppant dans les morceaux de sa cape. Je te tiens quitte de la suite ! Il fait vraiment trop froid !

Ansiau se hâta de rentrer chez lui où sa logeuse, elle, avait fait un bon feu !

IV

Quatrième soir

Reconquérir Édesse

Une courtepointe posée sur les jambes, un grand morceau de tissu damassé enveloppant ses épaules, le chevalier buvait, à petites gorgées, un vin chaud aux épices. Le trépied en fer, bourré de tisons jusqu'à la gueule, diffusait dans la pièce, si glaciale la veille au soir, une agréable chaleur.

Ansiau s'arrêta sur le seuil, interdit.

Le chevalier se mit à rire.

— Tu as devant les yeux le repentir d'Eusébio ! De crainte que je n'aie pris, par sa faute, une fièvre maligne, il m'affuble aujourd'hui de cet accoutrement ! Je le supporte, car j'avoue m'être senti assez mal cette nuit.

Il tendit un gobelet en étain à Ansiau.

— Goûte ce vin chaud. Il est fort en épices. D'où le vieux brigand les sort-il ? Volées, sans doute ? Il n'a pas un demi-sou ! (Il regarda Ansiau.) Il t'intrigue, mon serviteur Eusébio ?

Ansiau se retint de répliquer : « Moins que vous ! » et se borna à hocher la tête.

— L'affaire est simple. Je l'ai tiré des griffes des pirates qui infestent la Méditerranée et pillent les villages côtiers. C'était à Chypre.

— Chypre où les Templiers trouvèrent refuge quand ils furent chassés de Terre sainte ?

— Tu sais cela ! fit en se moquant le chevalier.

Ansiau s'enhardit.

— Vous-même, n'étiez-vous pas…

Le chevalier l'interrompit d'un geste brusque.

— Crois ce qu'il te plaît d'imaginer !

Ansiau rougit. Le chevalier sourit.

— Finis de boire ton vin. Il faut que je continue mon récit. N'es-tu pas venu pour l'écouter ? Peut-être poussé par la curiosité ? *Ara avis*… L'oiseau rare… À tes yeux, n'est-ce pas ce que je suis ? C'est assez vrai.

Il joua un instant avec sa bague. Ansiau attendait : le chevalier allait-il enfin parler de lui ? Mais non !

— Revenons-en plutôt aux croisades et à cette prise d'Édesse par les Turcs de Zengi. Pour la seconde fois, l'Occident se mobilisa et Bernard de

Clairvaux prêcha avec son éloquence légendaire. Mais les temps avaient changé, et cette deuxième croisade ne peut en rien se comparer à la première. Elle n'en eut ni les chefs ni l'élan.

Il ajouta, songeur :
— Peut-être la foi n'était-elle plus la même. Les vertus aussi changent de visage !

L'erreur première fut qu'il y eut deux chefs : l'empereur de Germanie, Conrad III, et le roi de France, Louis VII. Un double commandement nuit à l'autorité. Autre difficulté, qui fut source de frictions : ces hommes d'armes ne parlaient pas la même langue. Lorsqu'ils s'injuriaient, c'était sans se comprendre ! Cela devient, à la longue, irritant et la tension s'accroît.

La seconde erreur vint du roi de France. Il céda aux instances de son épouse et l'emmena avec lui. Or la reine Aliénor et lui commençaient à mal s'entendre. Elle se plaignait de la trop grande piété du roi – une piété de moine, disait-elle. Lui, de la passion d'Aliénor pour les chants des troubadours, les danses, les cours d'amour qui lui rappelaient son enfance en Aquitaine. Elle en était duchesse, comtesse de Poitou aussi, voilà beaucoup de terres qu'elle avait apportées en dot, ouvrant ainsi de nouveaux horizons au royaume de son époux. Terres de langue d'oc* quand le roi ne parlait que l'oïl. Et la cour aussi. Autre source de différend !

Dès qu'on apprit que la reine « se croisait », de grandes dames l'imitèrent : la comtesse de Flandre, celle de Blois, celle de Toulouse, et de moins éminentes, jusqu'à des épouses de chevaliers. Toutes voulaient leurs servantes, leurs robes, leurs bijoux… Si bien que les chariots de bagages de l'armée des croisés s'emplirent de plus de vêtements féminins que d'épées…

Un autre écueil venait du roi Louis VII lui-même. Certes, il partait à la croisade pour reconquérir Édesse, mais son but premier, celui qui lui tenait le plus à cœur, c'était de se rendre en pèlerinage sur le tombeau du Christ, en expiation de la triste affaire de Vitry… Alors qu'elles combattaient le seigneur de ce lieu qui s'était révolté, les troupes du roi avaient incendié l'église du village, brûlant vifs les habitants qui s'y étaient réfugiés. En somme, un fait de guerre comme, en ces temps-là, hélas, on en voyait beaucoup. Mais toute église étant terre d'asile, ces soldats avaient péché gravement contre Dieu et le roi gardait le remords persistant de n'avoir pas su les en empêcher. De là son vœu de pèlerinage que la croisade allait lui offrir.

Dès le départ, cette croisade se présentait donc assez mal.

L'empereur Conrad III se fit un peu tirer l'oreille, mais partit le premier au bout du compte. Parvenu à Constantinople, il eut les habituels démêlés avec l'empereur Manuel Comnène, aussi avide que jadis Alexis d'utiliser les croisés à des fins personnelles. Bien qu'ils fussent beaux-frères, Conrad le supporta mal et se hâta de quitter Constantinople sans attendre l'arrivée du roi de France, son allié.

À la tête d'une armée considérable – presque toute la noblesse allemande s'était croisée avec lui –, il s'engagea imprudemment en Asie Mineure, après avoir – fatale erreur ! – divisé ses troupes en deux. Le désastre fut double. Chacune d'elles se fit battre et même massacrer. Conrad y laissa la plus grande part de son armée…

Il fallut battre en retraite piteusement vers Nicée par une chaleur accablante. L'empereur lui-même faillit périr de fatigue et de soif, sans parler des flèches virevoltantes des éternels cavaliers turcs. Depuis la première croisade, leur tactique n'avait pas changé !

Avec ses débris de troupes, Conrad parvint à Nicée, épuisé, humilié et découragé. Louis VII, qui venait d'y arriver aussi, tenta de le réconforter.

Mais la vue de son armée intacte exaspéra Conrad, en plus des plaisanteries que ses hommes devaient subir ! Il rentra brusquement à Constantinople et se réconcilia non moins brusquement avec le *basileus*.

Ce fut seulement en mars que la flotte byzantine le transporta en Palestine avec le reste de sa chevalerie.

Louis VII avait eu, lui aussi, beaucoup à se plaindre de la mauvaise volonté manifestée par l'empereur Manuel Comnène, lors de son passage à Constantinople.

Ce fut pire pendant la traversée de l'Anatolie. La population grecque fuyait à l'approche des croisés comme si elle obéissait à un ordre. Le ravitaillement devenait de ce fait difficile. Il fut bientôt évident que le *basileus* se faisait complice des Turcs !

Pour gagner Antioche, où les attendait Raymond de Poitiers, il fallait emprunter une route montagneuse entrecoupée de défilés propices aux embuscades.

Aussi le roi Louis VII avait-il donné des ordres stricts pour que l'armée reste groupée. Mais la discipline n'était pas le fort des barons ! L'un d'eux, Geoffroy de Rancon, commandait l'avant-garde. Il avait reçu l'ordre de faire halte sur une crête pour y passer la nuit et attendre là que les rejoigne le reste de l'armée. Sur la crête, il était malaisé de camper. Pourquoi y rester alors que, sur l'autre versant, le terrain semblait mieux convenir ? Geoffroy de Rancon, au mépris des ordres reçus, y conduisit l'avant-garde.

Quand le gros de l'armée arriva, ce fut pour trouver… les Turcs. Prévenus par leurs guetteurs postés sur les sommets, ils avaient compris que les troupes, désormais divisées en deux tronçons, seraient faciles à attaquer.

Surtout ceux qui étaient en train d'avancer dans les défilés. Obligés de se battre dans ces gorges étroites ou à flanc de montagne, au bord de précipices, ils le firent avec un courage qui impressionna leurs adversaires, mais au prix de grandes pertes.

Le roi Louis VII lui-même, pris dans la mêlée, grimpa sur un rocher, et, adossé à un arbre, se battant à grands coups d'épée, ne dut son salut qu'à un groupe de chevaliers qui, l'ayant reconnu, accoururent pour le dégager, et l'entraîner hors de la bataille.

La nuit qui tombait sauva ceux qui avaient échappé aux flèches turques, aux cimeterres et… aux ravins. Ils rejoignirent l'avant-garde qui campait, tranquille, au bas de la montagne.

Ignorant du désastre que son indiscipline avait provoqué, Geoffroy de Rancon dormait… Or ce Geoffroy était haut baron du Poitou, une des terres de la reine Aliénor, et il était connu pour être de ses familiers. Cela fit murmurer beaucoup de chevaliers et accrut le mécontentement du roi. Prélude aux aléas du séjour à Antioche !

L'armée entra enfin dans le petit port byzantin d'Adalia. Le roi y rencontra un émissaire grec de l'empereur Comnène, venu tout exprès de Constantinople, et négocia avec lui le transport par mer de ses troupes car la route de terre s'était révélée trop dangereuse.

Pouvait-on faire confiance au *basileus* ? Le roi le crut et il eut tort. Les bateaux annoncés arrivèrent, mais en trop petit nombre pour embarquer toute l'armée avec les pèlerins qui avaient suivi comme ils pouvaient durant des mois. Depuis leurs villages du Berry ou de l'Orléanais, les collines crayeuses de Champagne ou le plateau picard balayé par le vent… Mêmes gens simples, même foi naïve que celle de leurs grands-parents marchant derrière leurs seigneurs ou derrière Pierre l'Ermite lors de la première croisade…

Et même triste fin ! ajouta le chevalier en se servant un nouveau pot de vin chaud aux épices.

Le roi se résigna à embarquer avec ses chevaliers, ses sergents montés et ses barons, laissant à Adalia la plupart de ses hommes à pied et, bien entendu, les pèlerins.

Une fois encore, il crut aux promesses de l'envoyé de Constantinople qui fit serment, et même sur les saintes reliques, de les acheminer tous vers Antioche en suivant la route de la côte, sous la protection des garnisons byzantines. Toutefois le roi, par prudence, laissait, pour commander le reste de ses troupes, les comtes de Flandre et de Bourbon.

Or, dès le lendemain, les Turcs attaquaient. Cette fois, la complicité entre Grecs et Turcs était flagrante ! Les comtes se plaignirent avec véhémence. L'émissaire prit une mine désolée et promit à nouveau des bateaux qui, encore une fois, furent en trop petit nombre. L'émissaire protesta que ce n'était là qu'un premier convoi : un autre suivrait rapidement.

Les deux comtes – fut-ce excès de confiance, ou de premiers soupçons les poussèrent-ils à se sauver ? – commirent l'erreur d'embarquer sur ce premier convoi. C'était livrer les autres aux ennemis.

Le second convoi n'arriva jamais et la trahison byzantine éclata au grand jour. Grecs et Turcs mêlés assaillirent de flèches ces malheureux à l'abandon. Ils tentèrent de fuir, ne purent passer les premiers fleuves, revinrent à Adalia et y furent massacrés.

Les rares survivants qui, au prix de mille difficultés, parvinrent à rejoindre Antioche firent le récit de cette traîtrise. Le fossé commençait à se creuser entre Grecs et Latins. Cette discorde mènerait, cinquante années plus tard, à cette affligeante quatrième croisade menée par des chrétiens contre d'autres chrétiens.

Le chevalier soupira.

— Nous n'en sommes qu'à la deuxième, murmura timidement Ansiau qui craignait de voir le chevalier s'assoupir, car il venait de fermer les yeux et de rejeter la tête en arrière sur les coussins de paille qui garnissaient le sommet du banc.

— Tu as raison, fit le chevalier en se redressant. Ces épices d'Eusébio me feraient dormir si elles n'arrivaient à point nommé pour te parler d'Antioche dont les rues, sous le soleil, avaient cette odeur : poivre, cannelle, noix muscade... Des senteurs qui enivrent tout autant que le vin !

Pour la reine Aliénor et les épouses des barons qui venaient de passer des jours et des jours sur de mauvaises routes, montant des chevaux dont les selles, à la longue, entamaient la peau, ou cahotées dans des chariots qui leur brisaient les reins, Antioche ne pouvait être qu'un enchantement…

Dès l'arrivée, par un très beau temps de mars au port de Saint-Siméon, la vue de toutes ces oriflammes qui pavoisaient les rues, des tiares des prélats constellées de pierreries, des robes brochées d'or des hauts dignitaires de la principauté, leur tourna la tête.

Et plus encore, lorsque s'avançant courtoisement pour saluer le premier le roi de France – son roi –, parut, plus séduisant que jamais, son manteau vert brodé de fleurs jeté aux épaules, le prince lui-même, Raymond de Poitiers.

Il s'inclina avec respect devant le roi et, non sans un certain sourire, devant la reine Aliénor, sa très belle nièce. Avait-il déjà conçu le plan de la séduire pour la pousser à entrer dans ses vues sur la guerre à venir, et par là même y amener le roi qu'on disait si fort épris d'elle ?

Peut-être… Et peut-être pas…

Le printemps commençait. Dans les jardins bordant l'Oronte, les premières roses s'épanouissaient, l'air sentait le musc, la fleur d'oranger et le parfum poivré des giroflées.

Les fêtes se succédaient avec leurs danses. On écoutait les troubadours dire leurs poèmes et, le soir venu, on se promenait sur le fleuve dans des barques peintes de bleu.

Une semaine passa. Le roi Louis VII commença à s'impatienter. Tout à Antioche l'irritait : les divans trop bas, les coussins en soie, les brûle-parfum d'argent incrustés de nacre, les tapis trop moelleux et ces centaines de bougies parfumées à la rose dans leurs chandeliers en verre de Damas peints d'oiseaux étranges… Le parfum entêtant des orangers en fleur lui donnait la migraine. Et, plus que tout, lui étaient insupportables les entretiens sans fin entre Aliénor et son oncle, dans cette langue d'oc que, lui, comprenait mal.

Qu'avaient-ils donc à se dire en tant de mots ?

Oh, nullement des mots d'amour. Le prince d'Antioche essayait seulement de gagner Aliénor à sa cause pour qu'elle tentât ensuite de convaincre le roi.

Patiemment, Raymond lui exposait la complexité de ces États latins qu'on connaissait si mal en Occident. Il lui disait en quoi les sultans fatimides* d'Égypte différaient des atabegs turcs de Mossoul ou d'Alep ; il lui expliquait le rôle d'allié des Francs du cadi de Damas.

Il montrait surtout comment la reconquête d'Édesse s'imposait en premier si l'on voulait sauver Antioche, plus menacée qu'il n'y semblait soit par une attaque turque, soit par la mainmise de Byzance sur une ville dont les Grecs ne pouvaient oublier qu'elle leur avait longtemps appartenu. Il convenait de marcher au plus tôt sur Alep où le chef Nour el-Din attendait tapi dans l'ombre, telle l'araignée guettant sa proie.

Aliénor écoutait, attentive à ce discours. La politique l'intéressait : que son oncle l'en entretînt en premier la flattait, sensible comme elle l'était au charme de celui qui parlait et savait habilement en jouer.

Lorsqu'il la sentit convaincue et gagnée à sa cause, fêtes et jeux s'espacèrent et les affaires sérieuses commencèrent. En tout premier lieu, il fallait un entretien officiel avec le roi de France et ses principaux barons. Le prince d'Antioche pensait qu'Aliénor avait réussi à convaincre le roi, au moins en partie. Il déchanta vite !

N'avait-elle pas essayé ? N'avait-il pas écouté ?

À nouveau Raymond de Poitiers s'expliqua, reprit les arguments qu'il avait développés pour convaincre Aliénor.

Le roi écouta, silencieux, puis dit :

« Plus tard. Je dois d'abord me rendre en pèlerinage à Jérusalem comme j'en ai fait le vœu. »

Raymond en resta d'abord stupéfait, puis ajouta :

« Mais il faut attaquer Alep sans tarder. La ville est à deux jours de marche à peine. Nous devons saper le pouvoir de Nour el-Din. Il a pris Édesse, il prendra Antioche… »

À toutes les exhortations, le roi opposait la même parole :

« Plus tard. Après mon pèlerinage à Jérusalem. »

Les grands barons se taisaient. Beaucoup d'entre eux se rappelaient ce qu'on leur avait dit sur les défaites successives que l'imprudence de Raymond lui avait coûtées depuis qu'il était prince d'Antioche. Valeureux guerrier, certes, mais piètre politique. Sauver Antioche, c'était son affaire, pas la leur ! Ils étaient comme le roi, totalement ignorants des réalités complexes de cet Orient latin pour la défense duquel ils s'étaient croisés.

Raymond comprit qu'il ne pourrait convaincre ni le roi ni ses barons. Il le comprit avec colère, mais aussi avec désespoir. Eux seuls avec leur puissante armée pouvaient sauver Antioche. Et ils s'y refusaient.

Se souvint-il alors des appels désespérés de Jocelin d'Édesse et de son propre refus, en ce temps-là, de le secourir ? Maintenant c'était son tour…

Dans sa colère contre le roi, il tenta de piper les dés comme un joueur sans honneur. Le roi refusait d'aider Antioche, il ruinerait son mariage !

Les entretiens avec Aliénor se multiplièrent et de politiques devinrent galants. La tentation de pousser le roi à la répudiation*, qui avait souvent effleuré la jeune reine, se fit plus nette, entretenue par Raymond.

Au cours d'une ultime entrevue, Raymond tenta pour la dernière fois de convaincre le roi de marcher sur Alep. Aliénor eut le tort de se joindre à son oncle et de s'exprimer avec véhémence :

« Est-on venu pour reprendre Édesse ? Alors, il faut marcher sur Alep. Le pèlerinage peut attendre ! »

Le roi garda le silence, mais la nuit même il quitta Antioche avec ses barons et ses chevaliers, sans prendre congé de Raymond et en emmenant de force Aliénor.

Cette affaire, Ansiau, dit le chevalier, peut te sembler simple anecdote. Détrompe-toi ! La réussite de cette deuxième croisade s'est jouée à Antioche, à ce moment-là, et son échec final se dessinait déjà !

La deuxième croisade

À Jérusalem, le roi Louis VII reçut un accueil enthousiaste du jeune Baudoin III, qui n'avait pas encore été couronné roi et supportait avec toujours plus d'impatience la tutelle de son impérieuse mère Mélisende.

Louis VII s'en alla visiter les Lieux saints, y fit ses oraisons, puis se rendit à Saint-Jean-d'Acre où devait se tenir une assemblée générale des États latins d'Occident et de ceux de Terre sainte.

Il retrouva là l'empereur Conrad III et quantité de prélats, grands maîtres des ordres religieux, connétables, outre les seigneurs et barons. C'était une assemblée prestigieuse, tout ce qui comptait à Jérusalem était là.

Mais seulement à Jérusalem… C'était bien le malheur. Aucun représentant des deux autres États, la principauté d'Antioche, le comté de Tripoli, n'était présent !

Aucune voix ne s'éleva pour évoquer Nour el-Din, et le danger que constituait le chef turc. C'était pourtant lui qui avait conquis ce comté d'Édesse que la croisade avait pour but de recouvrer ! Personne n'évoqua la nécessité de marcher sur Alep… Le nom de Nour el-Din ne fut même pas prononcé.

Et il fut décidé d'attaquer… Damas ! C'était aller à l'encontre de toute la politique menée par Baudoin II, puis par Foulque, dont le vieux vizir de Damas, Unur, était un ami de toujours et l'allié fidèle des États latins !

C'était à la fois une absurdité et une grave faute politique. Certains barons le sentirent, sans oser le dire. Leur silence coûta bien cher !

Toute l'armée des croisés, tant allemands que français, grossie des contingents de Jérusalem se mit donc en route pour aller assiéger Damas.

La ville était, à l'ouest, entourée de jardins coupés de canaux et de haies, de vergers enclos de petits murs de terre, propices aux embuscades. Des embuscades qui se révélèrent meurtrières pour les troupes qui s'y avançaient. Il fallut commencer à détruire ces jardins. Ce ne fut pas aisé ! L'eau affleurait partout, gênant la marche des chevaux trop lourdement chargés de cavaliers, eux-mêmes trop pesamment équipés.

Par des prodiges de hardiesse et de bravoure, l'empereur Conrad III et ses hommes parvinrent aux abords immédiats de Damas. Les habitants, se croyant perdus, dressaient déjà des plans pour fuir.

C'est alors que se produisit l'inconcevable ! Plusieurs barons palestiniens persuadèrent les chefs croisés qu'ils ne prendraient jamais la ville par ce côté ouest : il fallait se porter à l'opposé. À l'est.

Quels arguments ont-ils pu invoquer ? fit le chevalier en achevant de verser dans le gobelet ce qui restait de vin chaud aux épices. Ce changement de front était si incroyable ! J'aimerais bien connaître les raisons avancées. Aucune chronique ne les rapporte. Et pour cause !

Les croisés comprirent trop tard l'erreur qu'on leur avait fait commettre : ils venaient de perdre toute chance de prendre Damas !

Les barons palestiniens avaient agi sciemment, le doute n'est pas permis ! reprit le chevalier, après avoir réfléchi un moment. Et ils venaient de sauver Damas. Mais pourquoi ? Étaient-ils poussés par Raymond de Poitiers qui, dans sa haine de Louis VII, souhaitait l'échec de sa croisade ? C'est peu vraisemblable, le prince d'Antioche n'était pas assez influent. Avaient-ils été payés par le vieux vizir de Damas ? Peut-être. Je crois plus volontiers que ces barons, mieux au fait que les croisés des questions musulmanes, avaient voulu empêcher que Nour el-Din ne rentre à Damas et… y reste !

Car le vieux vizir, se voyant perdu après l'attaque allemande, avait fini par se résoudre, quoi qu'il en coûte ! à appeler au secours Nour el-Din, son ennemi de toujours ! Et l'autre d'accourir, à marche forcée, avec son armée. Quel triomphe pour lui s'il réussissait à joindre sous son autorité Alep, Mossoul et… Damas !

Cette arrivée imminente mettait l'armée des croisés dans une situation dramatique. Prise entre Damas, qu'elle ne parvenait pas à faire tomber, et les forces de Nour el-Din, qui s'apprêtaient à l'attaquer, il n'y avait plus qu'une issue : battre en retraite sur Jérusalem. Ainsi fut fait.

Cette fin piteuse d'une grande espérance exacerba la tension entre les croisés et les barons du pays. La cordialité se fit aigreur. On se lança des accusations réciproques : trahison pour les uns, incapacité pour les autres. Il s'en fallut de peu qu'on en vînt aux mains !

Après ce cuisant échec, on ne reparla plus d'Édesse !

L'empereur Conrad III se rembarqua dès septembre à Saint-Jean-d'Acre pour passer les fêtes de Noël à Constantinople auprès de Manuel Comnène, avec lequel il était tout à fait réconcilié. Puis il regagna l'Europe.

Le roi Louis VII s'attarda encore six mois en Palestine, visitant les Lieux saints, multipliant les aumônes, ce qui lui valut une grande popularité.

Au contraire de Conrad, le roi Louis accusait les Byzantins d'avoir été la cause des premiers désastres qui, à ses yeux, avaient entraîné l'échec final de la croisade. De retour en France, il s'en fit longuement l'écho. Surtout auprès de Bernard de Clairvaux, qui rêvait de faire revenir les chrétiens orthodoxes de l'empire du *basileus* dans le sein de la sainte Église romaine…

Ce qui est certain, conclut le chevalier en réprimant un bâillement, c'est que les Occidentaux, dégoûtés, se désintéresseront de la croisade pendant quarante années !

Quant à la reine Aliénor, que fit-elle durant ce séjour à Jérusalem ? On ne sait. À aucun moment son nom n'est mentionné dans les chroniques.

— Pas plus que celui de Constance, la princesse d'Antioche, dont vous n'avez pas une seule fois parlé ! dit Ansiau avec une certaine véhémence. Elle était tout de même l'épouse de Raymond de Poitiers. La principauté lui appartenait plus qu'à lui !

— Comme tu la défends ! fit en riant le chevalier. Rassure-toi, je vais te reparler d'elle. Et pas en bien, hélas !

Le roi Louis VII était à peine parti qu'une nouvelle sema la consternation à la cour de Jérusalem : Raymond de Poitiers venait d'être tué au cours d'un combat contre Nour el-Din qui avait repris ses attaques sur Antioche.

Une mort à l'image de sa vie, commenta le chevalier : folle bravoure et témérité inconsciente…

Constance se trouvait veuve, à vingt ans, avec un fils encore mineur, le jeune Bohémond III. La principauté était trop menacée par les Turcs pour la laisser sans défenseur. Il fallait donc remarier au plus vite Constance.

Baudoin III s'y employa. Il lui proposa les plus hauts barons : le comte de Soissons, le prince de Tibériade, celui de Galilée. En vain. À tous, elle répondit non. Comme sa mère Alix, comme sa tante Mélisende, elle avait pris goût au pouvoir !

Le roi tenta même un conseil de famille où chacun la pressa de se remarier pour protéger Antioche. Elle s'obstina dans son refus.

Baudoin était d'autant plus mécontent que, de son côté, l'empereur Manuel Comnène avait un prétendant : un prince de sa famille – ce qui était une façon indirecte pour Byzance de reprendre en main Antioche. Constance le refusa également.

C'est alors que se produisit un coup de théâtre : Constance était tombée amoureuse d'un jeune chevalier français, nouvellement débarqué : Renaud de Châtillon. Cadet sans fortune, sans renom, sans lignage, mais fougueux et... beau ! Elle se fiança secrètement à lui. Encore fallait-il, pour pouvoir l'épouser, l'accord du roi de Jérusalem.

Renaud vint, plaida sa cause. Et Baudoin III, lassé des caprices de sa cousine, avec l'idée qu'au moins Antioche ne serait plus sans défenseur, donna son accord.

Ce mariage romanesque offrait le gouvernement de la principauté à un très bon guerrier, doué d'une audace magnifique, mais...

Le chevalier eut une moue significative.

— Un dangereux aventurier, moitié paladin, moitié bandit, sans esprit politique ni scrupules. « Sans foi ni loi » le résume assez bien.

Décidément, ajouta-t-il en bâillant à nouveau, les femmes de cette famille, que ce soit Mélisende, Alix ou cette petite Constance qu'on pouvait croire si effacée, ont été de jolies diablesses ! Et ce sont les États latins d'Orient qui en ont pâti !

Mélisende avait tout de même fini par céder le pouvoir à son fils Baudoin III. Ou plutôt il le lui avait arraché ! Et l'on vit ce désolant spectacle d'un roi de Jérusalem obligé de donner l'assaut à la citadelle de sa propre capitale pour en expulser sa mère qui s'y était retranchée !

Elle ne s'occupa plus désormais que d'embellir Jérusalem, de secourir les pauvres et d'entretenir sa foi. Finissant ainsi sa vie plus saintement qu'elle ne l'avait commencée !

La dernière affaire dont elle se mêla fut pour secourir sa sœur Hodierne, l'épouse du comte de Tripoli, Raymond II.

Hodierne accusait son mari de l'enfermer comme une femme de harem, par jalousie maladive. Lui, il répliquait n'agir ainsi qu'en raison de sa scandaleuse inconduite !

Mélisende se rendit à Tripoli, accompagnée du roi Baudoin, écouta les plaintes de l'une, les accusations de l'autre – qu'elle était tentée de croire car la légèreté de sa sœur et ses nombreuses aventures étaient connues jusqu'à Jérusalem !

Le chevalier pinça les lèvres, l'air amusé.

— Celle-là du moins n'avait pas le goût du pouvoir ! En tout cas, pas du même !

Raymond finit par autoriser son épouse à aller passer quelque temps à Jérusalem, auprès de Mélisende. C'est en revenant de les accompagner jusqu'aux portes de sa capitale qu'il fut poignardé par un ismaélien* fanatique.

L'homme appartenait à une secte redoutable dite des « Assassins », du mot arabe *hashishiya*, dirigée par Sinan, baptisé « le vieux de la montagne ». Animés d'un zèle mystique, et peut-être sous l'influence de drogues et de plantes hallucinogènes, ils obéissaient aveuglément aux ordres de leur chef qui se servait de la terreur et de l'assassinat comme armes politiques. Aussi bien, d'ailleurs, contre les chefs des États francs que contre l'émir de Mossoul ou le seigneur de Damas.

Pourquoi prirent-ils pour cible le comte de Tripoli ? Nul ne le sait. Il laissait un fils mineur et, une fois encore, le roi de Jérusalem dut se charger de la régence du comté de Tripoli…

Baudoin III put jouer ce rôle de suzerain. Mais déjà le royaume si magnifiquement construit par le premier Baudoin, celui de Boulogne, commençait à se désagréger. Rongé de l'intérieur, comme un fruit par un ver.

Le chevalier bâilla plus longuement, rejeta la tête en arrière sur les coussins de paille du banc et s'endormit d'un coup.

Ansiau resta un moment à le regarder puis, s'approchant doucement, contempla la main droite du chevalier posée à plat sur la courtepointe. La pierre verte de la bague brillait.

La voix d'Eusébio le fit sursauter.

— Vous aussi, vous la regardez ! Tout le monde la regarde.

— D'où lui vient-elle ? Je n'ose pas le lui demander !

— Il finira bien par vous le dire ! Il en est assez fier. Moi, je dis, elle vient du diable ! D'ailleurs le vert, c'est sa couleur !

Et il se signa vivement.

Le chevalier entrouvrit les yeux, esquissa un sourire et se rendormit.

Ansiau rentra chez lui, perplexe.

V

Cinquième soir

Le roi lépreux

Le lendemain soir, Ansiau trouva le chevalier tout ragaillardi.

— J'ignore, fit-il en riant, ce que ce vieux sorcier d'Eusébio a pu rajouter aux épices de son vin chaud, mais je viens de dormir d'un trait jusqu'à l'heure de vêpres ! À quel point de mon récit me suis-je assoupi, hier soir ? Car je me suis assoupi : je n'ai pas souvenir de t'avoir vu partir !

Ansiau sourit.

— De fait, vous vous êtes endormi. Après avoir évoqué « les jolies diablesses », héritières de Baudoin II, et l'effritement sournois du royaume de Jérusalem.

— D'abord sournois, il allait, sans tarder, se voir au grand jour ! Un événement devait aider à le découvrir. Un dramatique épisode d'une histoire qui en compte beaucoup.

Le successeur du roi Baudoin III, son frère Amaury, avait un fils : Baudoin. Un bel enfant, rieur, intelligent, blond comme son aïeul Godefroy. Il devint un adolescent plus instruit qu'aucun des rois de sa lignée, car son père lui avait donné pour précepteur le savant Guillaume de Tyr.

Ce fut lui qui remarqua, le premier, un fait étrange : quand le jeune garçon jouait avec des compagnons de son âge et qu'il lui arrivait de se blesser, il ne semblait pas en souffrir. Interrogé par son précepteur, il répondit, étonné : « Mais je ne sens rien ! » Inquiet, Guillaume de Tyr en parla au roi Amaury qui convoqua ses médecins. Ils ne purent que constater le fait : Baudoin avait un bras et une main insensibles. On multiplia les onguents, les emplâtres, les poudres. Rien n'y fit.

Si les médecins eurent les premiers soupçons sur la nature de la maladie, prudents, ils se turent. Jusqu'au jour où des marbrures apparurent, où la peau du bras parut s'écailler. Le doute n'était plus possible : ce bel adolescent, si blond, si vif, si rieur, avait la lèpre…

Pourtant, à la mort de son père, il régna à son tour. Comme dans les légendes noires, il fut le roi lépreux Baudoin IV de Jérusalem.

L'atteinte de la maladie, encore légère, lui permettait de mener une vie presque normale. Il montait à cheval, se battait à l'épée, chargeait l'ennemi à la tête de ses troupes.

Les combats se multipliaient, non plus pour conquérir de nouvelles villes, de nouvelles terres, mais pour défendre ce qui était, à présent, de partout attaqué : l'étau musulman se resserrait autour de ce qui restait d'Antioche, de Tripoli. Le royaume de Jérusalem était mis à mal maintenant depuis le nord de la Syrie jusqu'à l'Égypte d'où venait de surgir un chef dont on allait beaucoup parler.

Un Kurde, né en Mésopotamie dans une famille de guerriers passée au service du sultan d'Égypte. Le grand dessein inabouti de Zengi puis de Nour el-Din, unir ce monde musulman si divisé, lui, il allait l'accomplir et, partant de l'Égypte, régner à la fois au Caire, à Mossoul, à Alep, à Damas… Lui, Sal al-Din.

La voix du chevalier montait, ses yeux brillaient.

— Saladin ! s'écria Ansiau. Son nom est souvent cité…

— Et tu m'entendras le prononcer souvent ! Il fut le sultan magnifique, l'astre rayonnant de l'islam, l'une des plus grandes figures de son temps !

C'est contre lui que se battit le plus souvent le roi lépreux. Il remporta même plusieurs victoires. Puis le mal, jusque-là comme endormi, se réveilla. Vinrent alors pour Baudoin des semaines, des mois de lente agonie, de renoncements successifs : ne plus monter à cheval tant le frottement de la selle mettait à vif une chair qui n'était plus que plaies, ne plus enfiler la cotte de mailles du chevalier guerrier, ne plus manier ni lance ni épée avec ces mains devenues peu à peu des moignons.

Une mort lente qui finira par l'emporter, à vingt-quatre ans. Il tenta jusqu'au bout de combattre, porté dans une litière sur le lieu du combat, puis sur une civière.

Le chevalier dit avec tristesse :

— Tant de courage et un royaume qui, lentement, se défait. Avec sa chevalerie décimée par trop de combats et qu'aucun apport d'Occident ne vient renouveler... Avec son aristocratie turbulente qui va peu à peu installer une anarchie féodale... Avec ces Hospitaliers, ces Templiers devenus trop puissants, dont les grands maîtres frondent ouvertement le pouvoir royal...

La cour elle-même, l'entourage immédiat du roi lépreux, était un nœud d'intrigues et de calculs.

Sa mère, Agnès de Courtenay : avide de pouvoir et d'argent, reine mère qui ne fut jamais reine, répudiée par Amaury avant qu'il ne fût roi. Et l'autre reine mère : la princesse byzantine Marie, une Comnène, une seconde épouse qui, elle, régna, mais n'était plus rien... Et chacune dotée d'une fille, Sybille pour Agnès, Isabelle pour Marie... Deux jeunes femmes aussi fantasques, aussi coquettes l'une que l'autre.

Et un roi moribond qui souhaitait assurer sa succession dans le désarroi grandissant de son royaume.

Et d'abord marier Sybille, l'héritière du trône. Le marquis de Montferrat, Guillaume, parut celui qui convenait le mieux. Il épousa Sybille ; le roi fondait de grands espoirs sur lui quand il mourut soudain après trois mois de mariage.

Remarier l'héritière... mais à qui ? Elle était, je viens de le dire, fantasque comme sa cousine Constance d'Antioche et, comme elle, refusa les meilleurs partis pour tomber follement amoureuse d'un beau chevalier arrivé tout droit de son Poitou natal, Guy de Lusignan. Au contraire de Renaud de Châtillon, sorti de rien, Guy appartenait à une famille illustre. Mais là où l'un apportait la fougue, la violence d'un conquérant – certes dépourvu de scrupules ! –, l'autre n'avait que ses traits agréables, ses manières parfaites, peu d'intelligence, beaucoup de naïveté. Pour tout dire, un indécis, un faible mais… charmant !

Dès le premier jour, les barons le méprisèrent. Le roi hésitait, mais il était mourant, à demi aveugle, rongé par la lèpre. Sybille pleura, tempêta, fit si bien que, de guerre lasse, Baudoin céda.

Un caprice de femme et la lassitude d'un roi moribond allaient faire d'un joli garçon sans caractère ni envergure le roi de Jérusalem. Au pire moment.

C'est alors que Renaud de Châtillon, prisonnier à Alep depuis seize années, reparut, libéré. Sa redoutable personnalité allait s'imposer à sa façon : brutale. Il était le seul homme fort qui restât et… c'était l'aventurier qu'on sait !

Saladin et la chute de Jérusalem

Un seul homme pouvait encore s'opposer à lui : le comte de Tripoli, Raymond III, dont le père avait été jadis poignardé par un fanatique. Petit-fils lui aussi de Baudoin II, par sa mère Hodierne, il pouvait également prétendre à la couronne de Jérusalem.

Le roi lépreux, sur son lit de mort, avait écarté Guy de Lusignan, réalisant bien tard son incompétence, et il avait désigné le comte de Tripoli comme régent du royaume au nom du petit « Bauduinet », fils de Sybille et de son premier mari, Montferrat. C'était un enfant malingre, fragile, dont on pouvait craindre qu'il ne vive pas longtemps.

Cette nomination de Raymond III déchaîna les passions et la colère, tant des barons que du principal intéressé, Lusignan ! Peu après, le petit

Bauduinet mourut. Avec l'appui des barons, par un véritable coup d'État, Guy et Sybille furent proclamés roi et reine de Jérusalem.

Raymond III, furieux, se retira dans ses terres de Tibériade et noua même une alliance avec le sultan Saladin…

Pendant ce temps, Renaud de Châtillon qui, à son retour de captivité, s'était retrouvé sans argent et sans terres – Constance était morte et le fils qu'elle avait eu de Raymond de Poitiers gouvernait Antioche – s'était rapidement remarié. Sa nouvelle épouse lui apportait une très belle seigneurie : celle d'outre-Jourdain.

C'était à la fois le plus beau – et le pire – cadeau qui puisse être fait à un homme porté à tous les brigandages et pour qui les mots honneur, parole donnée, foi jurée étaient aussi vides de sens qu'un abécédaire pour qui ne sait pas lire !

Ces terres d'outre-Jourdain, par leurs deux forteresses de Montréal et du krak de Moab, permettaient de contrôler – et au besoin de brigander – la plus importante route de caravanes amenant, à Alexandrie d'une part, à Acre d'autre part, par les pistes du désert, les richesses de l'Inde et de l'Extrême-Orient.

Et c'était, de surcroît, la route du pèlerinage vers La Mecque…

Un temps, Renaud parut se contenter d'aller jouer au pirate sur la mer Rouge, armant des bateaux, s'embusquant, menaçant jusqu'à La Mecque, la ville sainte de l'islam, et à Médine, rançonnant, pillant avec tant de désinvolture, un tel manque de loyauté que le sultan Saladin lui voua une haine tenace.

Une fois son escadre pirate détruite, Renaud revint dans ses terres d'outre-Jourdain. Et il commença à attaquer les caravanes. Au mépris de la trêve signée, avant sa mort, par le roi Baudoin et renouvelée lors de la régence de Raymond de Tripoli.

Le jour où Renaud s'en prit à une caravane venant du Caire et se dirigeant vers Damas, d'une richesse si somptueuse qu'un corps de troupe escortait les caravaniers, la mesure fut comble ! Il l'avait attaquée par surprise, se tenant en embuscade, puis il prit les voyageurs pour les jeter dans les prisons du krak de Moab. Parmi eux se trouvait la propre sœur de Saladin… c'est du moins ce qu'affirme le chroniqueur Guillaume de Tyr.

Saladin somma Renaud de rendre la liberté aux captifs et de restituer tout le butin qu'il avait pris.

Devant le refus obstiné de Renaud, Saladin en appela au roi de Jérusalem. Guy de Lusignan ordonna alors au seigneur d'outre-Jourdain de tout restituer à Saladin. Mais le temps n'était plus où un roi pouvait ordonner et être obéi... Le pouvoir royal était devenu si faible que Renaud opposa le plus insolent refus, déclarant « qu'il ne rendrait rien car il était aussi maître sur sa terre que le roi à Jérusalem ».

C'était désormais la guerre. Et le royaume de Jérusalem était réduit à la mener seul. Le prince d'Antioche était en train de négocier avec Saladin, et Raymond de Tripoli dans sa colère et sa rancune faisait de même.

Le chevalier s'arrêta et laissa retomber ses mains dans un geste d'impuissance.

— Rien ne pouvait plus arrêter la chute. Le dernier acte se joua à Hattin et le mauvais génie en fut le grand maître des Templiers. Encore une affaire de haine personnelle entre le comte de Tripoli et lui. Car devant l'extrême péril où se trouvait le royaume, Raymond III avait, lui, fait taire sa rancune pour venir au secours de Guy de Lusignan, malgré la présence détestée de Renaud de Châtillon.

Bien que l'armée musulmane se dirigeât vers Tibériade où s'était enfermée la femme de Raymond, il conseilla de temporiser, au cours d'un conseil de guerre pathétique – qui devait être le dernier !

Gérard de Ridefort, grand maître des Templiers, l'accusa de lâcheté, tandis que les chevaliers criaient : « Allons libérer les demoiselles de Tibériade… »

Raymond III masqua sa colère et continua à prôner l'attente, ou tout au moins que l'on se retire vers Acre pour y attirer ainsi Saladin. Il termina par une mise en garde prophétique : « Mieux vaut perdre Tibériade que perdre tout ! »

Cette fois, les barons l'écoutèrent. Il fut décidé de suivre le conseil du comte de Tripoli et de se diriger vers Acre.

Mais Gérard de Ridefort, poussé par sa haine* de Raymond, profita du départ des barons pour rester seul avec le roi – Guy de Lusignan était un être indécis, se rangeant, par faiblesse, aux arguments de qui parlait en dernier. Gérard de Ridefort le savait et mit cette faiblesse à profit pour convaincre le roi de marcher vers Tibériade. Sans tarder.

Les barons, stupéfaits, entendirent soudain crier des ordres au beau milieu de la nuit. Ils se précipitèrent vers la tente royale pour s'entendre répondre aux questions qu'ils posèrent par la plus sèche des formules : « J'ai donné l'ordre de marcher sur Tibériade. » Cette brièveté montrait assez l'embarras du roi.

Les barons auraient-ils dû alors se révolter ?

Le chevalier hocha la tête.

— Il est aisé de réécrire l'histoire quand l'événement est passé. Peut-être Raymond III, si ouvertement contredit et humilié, eut-il la tentation de la révolte… Mais il ne le fit pas et obéit.

L'aube se leva sur un jour de juillet torride. Dès les premières heures de marche à travers des collines de terres arides, brûlées par le soleil, les sergents à pied, les plus éprouvés par la chaleur, cherchèrent des points d'eau où se désaltérer. Il n'y en avait aucun. Ils continuèrent leur marche, mais de mauvais gré.

Les chevaliers et les sergents montés ruisselaient, eux, sous les cottes de mailles ; les heaumes encerclaient les tempes comme des casques de feu. Les chevaux avaient l'écume aux naseaux comme après une longue course.

Vers le milieu du jour, les cavaliers turcs commencèrent à surgir et à reprendre leur tactique de harcèlement sporadique. Aucune charge n'était possible – ces charges de cavalerie qui avaient rendu célèbres les chevaliers francs et fait gagner tant de combats.

Les Hospitaliers commencèrent à murmurer contre le grand maître des Templiers, et les Templiers eux-mêmes avançaient, dents serrées, la rage au cœur.

Quand vint le soir, ni hommes ni chevaux ne pouvaient avancer, épuisés, mourant de soif. Tibériade n'était plus qu'à quelques lieues et sans doute eût-il fallu tenter ce sursaut de la dernière chance. Mais comme avait dit César en franchissant le Rubicon : « *Alea jacta est.* »

Oui, le sort en était bien jeté ! Le sort funeste des perdants.

À l'aube, les sergents à pied désertèrent. Et le premier soleil éclaira la colline d'Hattin, où l'armée venait de passer la nuit, entièrement encerclée par les troupes de Saladin...

Ce fut alors le combat du désespoir. Héroïque et vain. Dans le miroitement de l'air, la poussière des herbes sèches que piétinaient les chevaux, une suite de charges de toute la chevalerie franque – ou de ce qui en restait !...

Des charges si violentes qu'à plusieurs reprises les troupes de Saladin reculèrent. Pour se reprendre aussitôt.

Le roi Guy, affolé, comprenant trop tard son erreur, supplia Raymond III de le sauver. Il tenta de le faire par une ultime charge, furieuse, qui rompit le cercle ennemi à la tête de sa chevalerie de Tripoli et de quelques autres guerriers : il passa. Mais le cercle se referma derrière eux. Du moins Raymond III avait-il sauvé, en plus de sa personne, une petite partie de l'armée.

Bien modeste en comparaison de tant de morts, tant de prisonniers... Le roi, le grand maître des Templiers, Renaud de Châtillon furent conduits dans la tente de Saladin.

Guy de Lusignan offrait un spectacle lamentable : mort de soif et de fatigue, si effrayé surtout que le sultan tint d'entrée à le rassurer : « Un roi ne tue pas un autre roi »... Il le fit asseoir, lui offrit une coupe d'eau. Mais quand le roi voulut la faire passer à Renaud de Châtillon, Saladin la lui arracha et commença à énumérer les forfaits dont l'ancien prince d'Antioche s'était rendu coupable.

Combien de serments non tenus, de pillages, de brigandages, d'actes indignes d'un chevalier !

Renaud ne baissa ni les yeux ni la tête et se tint orgueilleusement face à son vainqueur. Saladin alors lui demanda :

« Si tu étais à ma place et moi à la tienne, qu'ordonnerais-tu qu'on me fasse ?

— Qu'on te coupe la tête ! »

Il signait son arrêt de mort, dit le chevalier pensif, et il ne l'ignorait pas. Vois-tu, Ansiau, malgré tous ses forfaits, ses crimes, ce Renaud gardait de la grandeur. Cela me plaît assez.

Il reprit après un silence :

— Mais la réponse rendit Saladin furieux et d'un coup de sabre il lui trancha le bras, puis il appela ses gardes qui l'achevèrent. Ainsi mourut Renaud de Châtillon, le dernier grand aventurier des États latins d'Orient. Dieu ait en pitié son âme !

La même phrase que pour Jacques de Molay, songea Ansiau.

— Saladin se montra un vainqueur magnanime, libéra plusieurs prisonniers, mais il fit mettre à mort tous les Templiers et tous les Hospitaliers, sauf le grand maître Gérard de Ridefort. Cela sembla curieux et reste inexpliqué.

Le chevalier tourna lentement sa bague autour de son doigt, répéta :

— Oui, il se montra magnanime. Un très jeune chevalier dont c'était le premier combat, car il arrivait droit de sa Bourgogne natale, s'était battu avec une vaillance que Saladin avait remarquée.

Il le fit appeler sous sa tente, l'interrogea. Les réponses qu'il lui fit lui plurent. Le jeune chevalier n'avait rien pour payer sa rançon.

« Mais, dit-il au sultan Saladin, fixez un prix et permettez-moi de rentrer dans mon pays. Je suis certain que mon père ou mon frère aîné – car moi, je ne suis qu'un cadet – l'un ou l'autre paieront ma rançon et je reviendrai vous en apporter le montant. »

Saladin demanda :

« Et si ni l'un ni l'autre ne voulaient payer et te donnaient le conseil de ne pas revenir ? »

Le jeune homme se récria :

« Cela ne sera pas ! Mais si cela était, je n'écouterais pas un conseil indigne d'un chevalier et je reviendrais me constituer prisonnier. »

Saladin répondit :

« Soit ! »

Et il le libéra.

Le jeune homme revint dans son fief de Bourgogne. Son père était mort et son frère aîné ne voulut pas payer sa rançon. Il repartit doublement meurtri et revint trouver Saladin auquel il dit simplement :

« Je n'ai pas eu l'argent de ma rançon et je suis votre prisonnier. »

Saladin fut si ému du courage et du respect de la foi jurée dont faisait preuve le jeune homme que non seulement il le tint quitte de sa rançon, mais lui donna un superbe cheval, une très belle armure, d'autres cadeaux, et lui fit promettre qu'en échange chaque fils aîné de son lignage porterait son nom, Saladin.

Il y eut un silence.

— Voilà, conclut le chevalier, quelle sorte d'homme était Saladin ! Capable de grande violence, certes – l'époque le voulait –, mais aussi de ces gestes chevaleresques à quoi l'on reconnaît un seigneur, un vrai, qu'il soit musulman ou chrétien, qu'il invoque Allah ou le Christ au moment du combat.

Il reprit sur un autre ton :

— À la suite de ce désastre, on ne pouvait penser sauver Jérusalem. La ville n'avait plus que deux chevaliers pour la défendre et on adouba dans la hâte des fils de notables, de marchands. Tous luttèrent vaillamment. Mais le jeu était trop inégal et la ville dut se rendre.

Saladin se montra plus clément pour les chrétiens que, lors de la première croisade, les hommes de Godefroy de Bouillon ou de Raymond de Saint-

Gilles pour les musulmans. Il en fit la remarque à voix assez haute pour que chacun l'entende ! La population chrétienne pouvait acheter sa liberté. On en fixa très précisément le prix, dix dinars par homme, cinq pour les femmes et un pour les enfants. Cette mesure de clémence, les habitants la devaient à l'amitié que le sultan portait à un seigneur de vieille souche croisée, Balian d'Ibelin, qui en avait fait la demande à Saladin.

Restaient ceux, trop pauvres, pour qui un dinar était impossible à trouver. Balian d'Ibelin intervint à nouveau auprès de Saladin qui autorisa que l'on paye pour eux.

Qui d'autre que les Templiers et les Hospitaliers le pouvaient ? Mais en dépit de leurs immenses richesses, Balian d'Ibelin ne put leur arracher que trente mille dinars et faire libérer ainsi sept mille personnes. Il en resta seize mille, abandonnées, vendues comme esclaves sur les marchés...

Les autres, ceux qui avaient été libérés, purent sortir de Jérusalem. Lamentable cortège de chariots chargés de quelques hardes, quelques pots, leur peu de biens tirés à bras d'hommes, car ils n'étaient autorisés à emmener ni mulet ni âne...

Démarche inverse de ceux qui, cent ans auparavant, avaient suivi le pape ou Pierre l'Ermite en criant « Dieu le veut ! » et « Jérusalem »...

Ceux-là l'avaient conquise et ceux-ci la perdaient.

Le chevalier se tut un moment et poursuivit :
— Toujours grand seigneur, Saladin, de même qu'il avait laissé sortir de Tibériade la femme de Raymond III et les « demoiselles », accorda la liberté à la reine Sybille et à la reine mère Marie Comnène. Elles quittèrent la ville avec leurs suivantes, leurs serviteurs, leurs bijoux.

À ce mot, le chevalier regarda sa bague, puis observa Ansiau ; il eut ce demi-sourire qui lui plissait le coin des yeux.
— Pose donc la question qui te brûle les lèvres, au lieu de tourner autour comme un chat affamé autour d'une écuelle ! D'où me vient cette bague ?
— Eusébio m'a dit, l'autre soir, qu'elle vous venait du diable et que d'ailleurs le vert était sa couleur ! Mais le vert, n'est-ce pas la couleur du Prophète ? Celle des étendards musulmans, des oriflammes flottant sur les villes chrétiennes conquises, des turbans ? Et la couleur des émeraudes comme celle que vous portez au doigt ?
— Quelle belle tirade ! fit en se moquant le chevalier. Tu ne m'avais pas accoutumé à de si

longs discours. Mais tu as très bien imaginé et déduit la vérité à partir de tes rêves. Cette bague vient de Saladin. Et le jeune chevalier auquel Saladin l'offrit dans l'histoire que racontent les chroniqueurs – chrétiens ou arabes, d'ailleurs – était un de mes ancêtres.

— Et les fils aînés se sont appelés Saladin ?

— Jusqu'à moi qui suis le dernier.

— Vous vous appelez Saladin ! Vous…

Il s'arrêta, embarrassé.

— Finis ta phrase : Vous, un Templier ! C'était ça, ta remarque. Juste ! Demain soir, je t'emmènerai en un lieu où je dois reprendre un objet, très précieux non pour l'or mais pour le symbole. Et je finirai de te raconter celles des croisades qui en méritèrent le nom.

Il dit brusquement :

— À demain !

Et Ansiau s'en alla, amusé et un peu vexé. Ce chevalier templier jouait aux énigmes avec lui comme au jeu de main chaude : l'objet caché qu'il faut trouver !

VI

Sixième soir

La croisade des rois

Ansiau passa la journée dans un grand état d'agitation et arriva à la porte du chevalier, haletant d'avoir trop couru. Il regarda, déçu, Eusébio qui allumait les bougies du chandelier, disposait les braises dans le trépied – le rituel de chaque soir ! – et le chevalier lui-même, installé comme de coutume sur les coussins de paille du banc. Avait-il oublié sa promesse de la veille ? N'irait-on plus à la recherche de l'objet mystérieux ?

La déception se lisait si bien sur son visage que le chevalier se mit à rire.

— Patience, jeune coq ! Pour notre affaire, il est trop tôt ! Ôte ta pèlerine et assieds-toi. Je n'en ai pas encore tout à fait fini avec les croisades !

Ansiau obéit et le chevalier reprit son récit :

— La chute d'Édesse avait, en son temps, fait l'effet d'un tonnerre et conduit à la deuxième croisade. La perte de Jérusalem fut un coup de massue reçu en pleine tête.

Des doutes anciens resurgirent : Dieu abandonnait-il les siens ? De quels péchés les punissait-il en laissant de nouveau la Cité sainte aux mains des musulmans païens ?

Le premier effroi passé, prélats et clercs se ressaisirent, le pape exhorta la chrétienté au repentir et… les souverains à une nouvelle croisade.

Il fallut quatre années pour qu'elle s'organise, cette troisième croisade, la plus brillante de toutes – au départ !… Y participaient les trois plus puissants souverains d'Occident : l'empereur d'Allemagne, Frédéric Ier Barberousse, le roi de France, Philippe Auguste, et celui d'Angleterre, Richard Cœur de Lion. Chacun d'eux avec ses grands vassaux et aussi ses mercenaires.

Pour la première fois, des troupes payées par les rois sont engagées dans une croisade. Épineux sujet portant à la discorde entre un prince fastueux, tel Richard, et un autre, plus ménager de ses deniers, comme Philippe Auguste !

Un départ flamboyant, avec Anglais et Français réunis à Vézelay, haut lieu de la chrétienté. Les tentes à perte de vue, les bannières écussonnées des seigneurs, les oriflammes des princes, la flamme aux fleurs de lys et l'étendard au lion et les cris mêlés : « Montjoie ! Saint Denis ! Saint Georges ! »… Des prêches en plein air, des messes, des jeux de dés aussi et les cheveux au vent des filles…

Et puis on se sépare. Le roi Richard s'en va embarquer à Marseille ; le roi Philippe, par Gênes, arrive en Sicile, à Messine en septembre. Richard l'y rejoint.

À cette date, tous deux ignorent encore que l'empereur Frédéric Barberousse vient de se noyer en passant un gué sur le cours d'une rivière en Asie Mineure. Privée de son chef, son armée va se disloquer. On ne peut plus compter que sur un faible contingent qui se dirige vers Antioche. Autant dire rien pour lutter contre Saladin !

Français et Anglais traînent à Messine. Chacun des deux rois surveillant l'autre… Philippe surtout, plus méfiant, et qui a sur le cœur le mariage de sa sœur, fiancée à Richard dès l'enfance et qu'il refuse d'épouser. Les semaines passent, l'hiver arrive. Il empêche toute navigation en Méditerranée avec des vaisseaux trop chargés de soldats et de chevaux !

Pour compliquer les choses, le roi de Sicile vient de mourir. Or il était l'époux d'une sœur de Richard qui ne veut pas lâcher la succession.

Le roi de France s'ennuie. Il a toujours été d'un caractère fébrile depuis qu'à treize ans il s'est perdu en forêt au cours d'une chasse et a erré deux jours, seul. Fin mars, il n'y tient plus et sa flotte appareille vers Acre où il arrive le premier. Richard le lui pardonnera mal...

Saint-Jean-d'Acre, la seconde ville du royaume après Jérusalem, tombée peu avant elle aux mains de Saladin, est un port important. Or, de tous les ports qui jalonnaient les côtes du royaume, les chrétiens n'ont plus que Tyr – grâce à Conrad de Montferrat qui, en débarquant, l'a sauvé. Il vient d'en fermer les portes au nez de Guy de Lusignan, libéré par Saladin et qu'il tient pour ce qu'il est : rien qui vaille !

Alors, Guy, depuis un an, tente de s'emparer de Saint-Jean-d'Acre. Le siège s'éternise. Les troupes sont prises en tenaille entre ceux qu'ils assiègent et les hommes de Saladin qui les bloquent du côté de la terre. Grâce à Dieu et aux vaisseaux génois – la mer reste libre !...

Quand Philippe Auguste débarque, l'état du camp est déplorable. Partout l'odeur des morts qui pourrissent dans les fossés sous la chaleur d'avril déjà forte. Et, s'ajoutant aux troupes, une cohue éperdue de femmes, d'enfants qui vivent là, entassés depuis des semaines, venus des villes conquises, des villages qu'il a fallu fuir…

Le roi Philippe Auguste apporte des troupes fraîches, fait construire des mangonneaux* et des tours pour pouvoir mieux atteindre le haut des remparts. Il est actif, on le voit partout. Mais que fait Richard ?

Le roi d'Angleterre, le fils préféré de la reine Aliénor – qui l'a fait comte de Poitou à douze ans, c'est dire ! –, est en train de conquérir l'île de Chypre. Au passage. Et c'est à Limassol qu'il se marie avec Bérengère de Navarre, trop douce, trop effacée, trop peu jolie aussi pour retenir long-temps un époux porté sur les deux sexes.

Lorsqu'il arrive enfin à Acre, il était temps. Philippe Auguste vient de tomber malade. De quoi souffre-t-il ? De fièvres. Inévitables dans un camp propice à toutes les épidémies. Mais il s'entête, il se fait porter en litière jusqu'au pied des murailles pour surveiller ses mangonneaux. Deux viennent de brûler. Et le roi de France enrage contre ce feu grégeois, cette arme dont personne, en chrétienté, ne peut dire de quoi elle est faite. Naphte, disent les uns, goudron pour d'autres… Ravageur en tout cas et impossible à imiter !

L'été passe. Le roi Richard tombe malade à son tour. Le roi Guy, toujours malchanceux, vient

141

de perdre sa femme Sybille et leurs deux filles. Or il n'était roi que par elles... Il n'est plus rien désormais. Et il le sait.

D'assauts en assauts, toujours repoussés, le printemps passe. La cavalerie franque attaque les troupes qui les encerclent, les refoulent, les forcent à fuir. La tour mobile de Richard, la plus haute, permet enfin de monter sur le rempart, tandis que les béliers ébranlent les portes qui cèdent. Acre est prise, Acre se rend. Et redevient ville chrétienne.

Le chevalier, qui avait mené son récit tambour battant et au présent – manière inhabituelle chez lui ! –, s'arrêta comme pour souffler. Il tendit l'oreille. D'un couvent voisin montait une sonnerie de plusieurs cloches.

— Ces frères mineurs disent suivre Dame Pauvreté, pour parler le langage de leur maître François d'Assise. Mais comme tu peux l'entendre, une cloche ne leur suffit pas. Ils en ont tout un carillon ! Chacun de leurs offices réveille le voisinage ! Peu leur importe !

Il écouta.

— Elles sonnent pour appeler à complies, dernières prières avant le repos de la nuit. Il nous faut attendre les grandes heures* de matines (il

lança un regard amusé à Ansiau). Cesse de t'agiter !
Écoute plutôt la suite de cette troisième croisade
qui, malgré ses brillants débuts et la reconquête
d'Acre, tourna court et ne rapporta rien !

À peine leurs bannières étaient-elles dressées
sur les remparts d'Acre que le roi de France s'en
alla. Il se disait malade. Peut-être l'était-il réelle-
ment. Mais cette hâte à rentrer en France fut res-
sentie comme une honte par les chevaliers de sa
suite, qu'il laissait pourtant sur place pour aider à
la poursuite des combats. Et, entre leurs dents, ils
le traitaient de « failli », de traître. Le roi Richard
se borna à hausser les épaules sans comprendre
que ses châteaux de Normandie, ses terres de
Guyenne, que Philippe Auguste convoitait depuis
longtemps pour agrandir son royaume, allaient
faire les frais de son absence. Le rusé capétien
allait en profiter !

Il estimait avoir assez fait pour la croisade en
aidant à la reconquête d'Acre. À Richard de conti-
nuer ! D'autant que déjà se dessinaient des luttes
pour le pouvoir dans ce qui restait de l'Orient
latin : d'un côté Guy de Lusignan, pourtant si incapable, mais soutenu – Dieu sait pourquoi ! – par le
roi Richard, de l'autre le maître de Tyr, Conrad de
Montferrat, que promouvait Philippe Auguste…

En attendant, sur sa lancée – et avec sa bravoure coutumière –, Richard reprenait les villes une à une : Jaffa, Ascalon. Puis il tenta de marcher sur Jérusalem. C'était le temps de Noël et la saison des pluies : froides mêlées de grésil avec de grands coups de vent qui renversaient les tentes des campements. Richard, si bouillant d'ordinaire, hésitait. Jérusalem n'était pourtant plus qu'à quelques lieues. Autant dire à portée de main. Les croisés voulaient marcher sur Jérusalem, les Francs de Syrie, les Hospitaliers et les Templiers conseillaient le retour vers la côte.

Ces hommes, nés dans le pays et plus avertis de lui que les croisés, disaient avec bon sens : « Il ne suffit pas de reprendre Jérusalem, il faut ensuite pouvoir la garder. Avec qui ? Les croisés, eux, repartiront ; et nous serons à nouveau seuls face à la puissance de Saladin. » Le raisonnement n'était pas faux, même s'il manquait de panache !

Le chevalier soupira.

— Bref, l'armée s'éloigna de Jérusalem. L'occasion de reprendre la ville avait échoué. Richard tenta une seconde opération et de la même manière. Puis il renonça.

Étrange attitude qui lui fut beaucoup reprochée. Il est vrai qu'il avait entamé des pourparlers

144

de paix avec le sultan Saladin. Ces deux-là étaient faits pour s'entendre : le guerrier kurde et l'Aquitain au cœur de lion, tous deux animés d'un idéal chevaleresque très semblable et, en même temps, capables de mouvements violents, irraisonnés, presque sauvages.

Un jour, ils échangeaient, sous la tente, d'amicaux propos en dégustant des sorbets aux neiges de l'Harmon, allant jusqu'à envisager de marier une sœur de Richard avec un frère de Saladin… Et, un jour suivant, l'un comme l'autre faisaient impitoyablement massacrer des centaines de prisonniers…

Richard reçut des nouvelles alarmantes d'Angleterre où son frère Jean tentait de s'emparer du pouvoir : il continuait ainsi la politique de discorde familiale, triste apanage des Plantagenêts, qui avait dressé fils contre père et déchiré les frères entre eux !

Richard conclut hâtivement une trêve avec Saladin et s'embarqua à Acre pour l'Europe.

Jérusalem restait aux mains de Saladin : la ville n'était ouverte qu'aux pèlerins sans armes. Quant au nouveau royaume de Jérusalem, réduit à sa frange côtière, il était menacé de partout par les musulmans.

Cette trêve masquait mal l'échec patent d'une croisade qui avait d'abord porté tant d'espoirs. Une déception qui fut sensible en Occident. Les critiques se firent plus âpres. La croisade était-elle voulue par Dieu ?

Le chevalier s'arrêta, murmura :

— L'éternelle question… Mais qui n'explique pas pour autant le scandaleux égarement que fut la quatrième expédition ! Qui oserait la nommer croisade ?

La prise de Constantinople

De celle-là qu'il eût mieux valu passer sous silence, on connaît tous les faits, en détail. Par le récit écrit qu'en firent deux hommes qui y participèrent : l'un, Geoffroy de Villehardouin, était maréchal du comte de Champagne ; l'autre, Robert de Clary, un petit chevalier picard. Chacun d'eux rapporte et juge à son échelle !

L'instigateur de cette croisade fut, une fois encore, le pape : un très grand pape, Innocent III. Mais celui qui mena le jeu, qui tira seul les ficelles, tel le montreur de marionnettes caché derrière le rideau, fut un Vénitien, un très vieil homme, très habile : le doge Enrico Dandolo.

Il connaissait bien l'Orient latin, la Syrie et la Palestine, pour y avoir possédé des comptoirs. Car ils avaient tous des entrepôts dans l'un ou l'autre port du royaume de Jérusalem, ces marchands italiens, qu'ils fussent de Venise, de Gênes ou de Pise. Et leurs vaisseaux étaient les seuls assez nombreux, assez bien équipés pour transporter pèlerins, chevaliers, moines et prélats, mais aussi des soies, des épices, tout ce que les caravanes amenaient de ces lointains pays des Mongols et de Chine, à travers des déserts...

Ces cités italiennes se livraient des luttes sans merci pour accroître leur domination. Et c'est justement parce que la guerre venait d'éclater entre Pise et Gênes que les chefs de cette quatrième croisade firent choix de Venise pour transporter leurs troupes. Car, après réflexion, on avait opté pour la route maritime, plus rapide et moins dangereuse que la route terrestre.

Le pape avait fini par désigner pour chef le comte de Champagne, aucun roi n'ayant voulu répondre à son appel. Philippe Auguste se souvenait trop bien du siège d'Acre ! Richard Cœur de Lion était mort et son successeur, son frère Jean Sans Terre, avait assez à faire avec les barons anglais révoltés !

Restaient les seigneurs. D'où le choix du comte de Champagne et l'envoi de son maréchal, Geoffroy de Villehardouin, pour négocier avec Venise le transport des troupes croisées.

En bons commerçants, les Vénitiens firent leurs comptes, calculant au plus près le nombre de chevaliers, de sergents, d'hommes de troupe, les chevaux, les vivres, les frais d'embarquement, puis de débarquement… On arriva à une somme considérable, impossible à payer. Les pourparlers traînèrent, le comte de Champagne mourut. Il fut remplacé par un Piémontais, dont la famille avait des attaches en Palestine : Boniface de Montferrat.

Bien des croisés, impatientés, étaient déjà partis pour la Terre sainte de leur propre chef. La croisade allait-elle échouer avant d'avoir commencé ?

C'est alors que le doge Enrico Dandolo entra en scène. Il était prêt à baisser le prix du transport si l'armée des croisés l'aidait à réprimer la révolte d'une ville de la côte dalmate sujette de Venise, Zara.

L'offre était tentante. Le temps maintenant pressait. Les troupes qu'on avait imprudemment amenées traînaient, désœuvrées sur les plages de la lagune, menaçant de s'en aller.

On embarqua donc pour aller assiéger Zara.

Oh, le doge fit bien les choses ! Le départ de la flotte donna lieu à une fête comme Venise seule sait les organiser. Les maisons pavoisées tout le long des canaux, et les oriflammes flottant aux mâts des vaisseaux, le *Te Deum* chanté à pleine voix par la foule massée devant Saint-Marc éclairée de centaines de cierges. La remontée de la lagune avec le grand maître de cérémonie, Enrico Dandolo, seul à l'avant du vaisseau de tête… la lumière toujours un peu voilée sur les îles qui déjà s'éloignent.

Et pour finir (le chevalier eut une moue de mépris), Zara, une cité chrétienne, assiégée, prise, pillée, à demi détruite par d'autres chrétiens qui ne s'étaient pas croisés dans ce but !

La prise de Zara n'était que le prélude d'une plus vaste opération : prendre Constantinople, vieux rêve vénitien… Il fallait toutefois convaincre les chefs croisés. Ce ne fut pas très difficile. De vieux souvenirs renaissaient d'humiliations, voire de trahisons endurées par d'autres croisés, en d'autres temps, de la part de ces « Grecs » et de leurs orgueilleux et fourbes *basileus*…

Les soldats, entre eux, se racontaient des histoires qu'ils avaient entendu dire par d'autres, souvent déformées, presque toujours exagérées. Mais qu'importe ! Elles attisaient des haines anciennes.

Et il y avait aussi les richesses de Constantinople, cent fois décrites et bien propres à exciter les imaginations tant de ces hommes simples que de leurs chefs. Jusqu'aux prélats, jusqu'aux moines qui se prenaient à rêver aux innombrables reliques des églises de là-bas…

Sur la promesse de repartir vers la Terre sainte, une fois Constantinople prise, les chefs croisés suivirent le doge. On fit donc voile vers Constantinople.

Le pape menaça, en vain, d'excommunier tout le monde. Il était trop tard.

Le chevalier s'arrêta un assez long moment. Sa voix se fit plus sèche.

— La ville fut assiégée et prise. Le sac dura trois jours et fut si abominable qu'il reste encore dans les mémoires comme un exemple d'horreur. On vit les chefs piller les palais et les abbés de monastères relever leurs robes pour y entasser les reliques comme en un sac ! On vit dans la basilique Sainte-Sophie briser la table d'autel pour en arracher les pierreries et des files de mulets poussés dans le chœur pour charger plus aisément sur leur dos les vêtements du culte aux ornements précieux, les calices en or…

Le chevalier ajouta, d'une voix où vibrait à présent la colère :

— L'Empire subsista, mais il fut désormais latin et dépendant de Rome. Son premier empereur

fut le comte Baudouin de Flandre… Les principaux chefs, eux, se partagèrent les terres en Thrace,
en Macédoine, en Thessalie…

Le doge Dandolo dut les voir faire avec un
mépris amusé. Pour Venise, il avait gagné beaucoup mieux : l'empire de la mer Adriatique, toutes
les côtes jusqu'au Bosphore, les villes et les îles.
La cité des doges devenait la maîtresse incontes-
tée de tout le commerce avec le Levant.

Et il rapportait, symbole de sa victoire, le qua-
drige en bronze qui ornerait bientôt la façade de la
basilique Saint-Marc : les chevaux du triomphe !

Ansiau se taisait, mais son visage exprimait
la tristesse et la honte. Il murmura :

— Comment en était-on arrivé là ?

— Parce que s'était perdu l'élan du cœur, la
foi naïve, peut-être, mais sincère, qui avait poussé
vers Jérusalem des foules mal organisées et
enthousiastes à la suite de Pierre l'Ermite… Ou
des chevaliers comme Godefroy de Bouillon.
L'esprit de croisade, eux l'avaient. Et il est mort
à Constantinople…

Oh, bien sûr, il y eut ensuite d'autres aventures qui prirent le nom de croisades. On vit même
des enfants exaltés suivre de jeunes illuminés et

marcher jusqu'à Marseille, pensant – pauvres innocents ! – qu'allait se renouveler pour eux le miracle de Jésus marchant sur les flots ! Des trafiquants les embarquèrent, soi-disant pour Jérusalem, et les vendirent comme esclaves sur les marchés d'Alexandrie.

Il y eut aussi l'étrange croisade de l'empereur d'Allemagne, Frédéric II… Un empereur excommunié par le pape, qui se fit offrir Jérusalem par le sultan d'Égypte et en devint le roi, provoquant ainsi la colère de tout ce qui restait de barons chrétiens et d'ordres religieux, Templiers en tête. Il fit trois tours et s'en alla… Peut-on nommer cela « croisade » ?

Il en va de même des deux dernières. Mais pour d'autres raisons. Toutes deux conduites par le saint roi Louis IX, le grand-père de notre roi Philippe le Bel. Elles furent l'affaire personnelle d'un roi « très chrétien », pour qui la reconquête de Jérusalem allait devenir le but de sa vie. Ses deux « croisades » seront des échecs.

La première fut menée en Égypte où de nouveaux venus, les Mameluks, avaient pris le pouvoir. Elle aboutit au désastre de Damiette et à la captivité du roi. Libéré, Louis partit pour Acre, ultime capitale de ce qui restait du royaume latin d'Orient. Il resta quatre années en Terre sainte, ne rentra que pour repartir douze ans plus tard et mourut de la peste au cours d'une escale à Tunis… Lui disparu, qui avait encore souci de la croisade ?

Et quand viendra la fin, quand le 18 mai 1291 Acre tombera aux mains des Mameluks, que se rendront les dernières villes et forteresses encore au pouvoir des Latins, la nouvelle se répandra dans une indifférence quasi totale…

Le chevalier hocha la tête.

— Qui pensera que deux siècles de présence chrétienne en Syrie et en Palestine viennent de s'achever ? Le monde a changé d'idéal…

Il se leva brusquement.

— Inutile d'attendre plus longtemps. La nuit est assez avancée.

Il s'enveloppa d'un long manteau brun – déniché ou volé dans quel couvent par Eusébio ? –, en rabattit le capuchon, glissa une dague à sa ceinture, appela son serviteur, ordonna :

— Prends la lanterne et précède-nous !

Tous trois sortirent.

Épilogue

La nuit de mars était froide. Il bruinait un peu. Ils passèrent le petit pont, traversèrent l'île de la Cité, esquivèrent en se cachant derrière un mur une ronde des sergents du guet et passèrent sur l'autre rive de la Seine.

En arrivant aux abords des anciens marais, Ansiau n'eut pas besoin de voir le haut mur crénelé, coupé de loin en loin de tours, pour comprendre où le chevalier les conduisait ! Il murmura, stupéfait :

— Le clos* des Templiers !

— C'est parfois dans la gueule du loup qu'on se trouve le mieux abrité ! répliqua le chevalier qui semblait amusé.

— Tant que le loup ne referme pas sa mâchoire, fit Eusébio en grommelant.

— Ces temps-ci, continua le chevalier sur le ton de la conversation, tandis qu'ils longeaient l'enceinte, l'entrée est peu gardée. Il n'y a plus rien à surveiller et plus rien à voler ! Six hommes suffisent. Ceux qui ne dorment pas jouent aux dés. Et ce soir, ils y joueront, j'y ai veillé ! J'ai quelqu'un dans la place.

Ils approchaient de la poterne d'entrée.

— Éteins la lanterne.

Eusébio obéit. Comme répondant à un signal, une ombre se profila, semblant surgie du mur. Même manteau brun, même capuchon que le chevalier.

Il s'inclina devant le chevalier.

— Messire commandeur, tout est prêt.

Ansiau eut un sursaut : commandeur ! Le chevalier dans son misérable logis, avec sa pèlerine effrangée, était un dignitaire du Temple ! Secret, cela va sans dire. Là encore dans la gueule du loup ! Commandeur de quelle province ? Et comment avait-il réussi à échapper aux rafles des hommes du roi ?

L'un après l'autre, ils se glissèrent par la poterne derrière leur guide. Du poste de garde montaient des voix avinées. Les pots de cervoise avaient dû remplacer les dés !

Ils empruntèrent un couloir assez obscur, débouchant sur une petite cour qu'ils traversèrent pour gagner un autre bâtiment. Là, leur guide prit une lanterne qu'il avait cachée, allumée dans une excavation du mur. Suivit une nouvelle cour, plus vaste. Il y avait, au centre, une fontaine en marbre qu'entouraient de petits losanges de buis.

— Souvenir de l'Espagne maure, dit à Ansiau le chevalier. Nos Templiers d'Aragon avaient poussé jusque-là ! Et ici… (il désigna un arbre dont on apercevait vaguement le tronc) un souvenir de Judée. Au printemps, il se couvre de fleurs mauves. Il y en a beaucoup à Chypre…

Encore cette évocation de Chypre…

Ils continuaient à marcher.

— Comme c'est grand ! remarqua Ansiau.

— Presque aussi étendu que la Cité. Le roi s'est réfugié là, dans cet enclos de Templiers, pour fuir l'émeute qui grondait à cause d'impôts très impopulaires… Il avait déjà des ennuis d'argent. Peut-être a-t-il vu alors de trop près la richesse de l'ordre ? Et l'idée lui est venue de s'en emparer. Dieu seul sonde les reins et les cœurs !…

Ils étaient arrivés devant une chapelle basse, bâtie en rond comme une tour. Elle n'avait qu'une porte que surmontait une croix taillée dans la pierre : la croix des Templiers. Leur guide ouvrit et ils entrèrent. Il n'y avait pas d'autel. On voyait seulement, gravée sur le sol dallé, en son centre, une étoile à sept pointes.

La lanterne posée par terre éclaira une étrange scène : le chevalier, agenouillé, soulevait avec la pointe de sa dague le centre de l'étoile. Une sorte de bourse en cuir plate et ronde parut. Le chevalier la prit et ordonna :

— Thomas, éclairez-nous !

L'homme leva la lanterne. Le chevalier ouvrit ce qui se révélait être un étui et en sortit un objet portant gravée en creux l'image de deux chevaliers chevauchant la même monture. Il dit alors d'une voix chargée d'émotion :

— Regarde bien, Ansiau. Tu as devant toi le premier sceau du Temple, quand n'existaient encore ni les commanderies ni les provinces et encore moins cet enclos, mais un groupe d'hommes qui se faisaient appeler « les pauvres chevaliers du Christ » avant de devenir peu après les Templiers.

Il reprit d'une voix plus sourde :

— J'étais à Chypre dont j'avais, un temps, commandé la province, quand arrivèrent d'Acre ceux qui avaient réussi à fuir par la mer la ville

158

qu'assiégeaient les Mameluks. Ils étaient un très petit nombre, dont Thomas que tu vois ici ce soir. Le grand maître Guillaume de Beaujeu, mortellement blessé et sans illusion sur la chute prochaine d'Acre, confia à Thomas, qui était son secrétaire et l'un de ses familiers, le premier sceau du Temple. Il avait été sauvé, une première fois, lors de la prise de Jérusalem par Saladin, il l'était ainsi une seconde fois.

« Le nouveau grand maître, Jacques de Molay, avait trop à faire pour se soucier d'un objet qu'il considérait, à tort, comme une simple relique du passé. Il refusa de voir Thomas et m'écouta moi-même à peine. Jacques de Molay – paix à son âme ! – était à la fois faible et rude : en aucun point l'homme qu'il aurait fallu à la tête de l'ordre en ces temps difficiles. Si nous, les Templiers, étions restés à Chypre, ainsi que les Hospitaliers le firent à Rhodes, nous serions devenus, comme eux, un État souverain.

Il haussa les épaules.

— Inutile d'épiloguer. Thomas connaissait bien cette partie du clos des Templiers et cette chapelle basse, construite dans les débuts, quand les marais étaient encore à peine défrichés. À cette époque-là, la cathédrale dont tu n'as pu voir que vaguement les contours, tout à l'heure, dans la bruine, n'était pas encore sortie de terre. Cette chapelle, donc, était comme désaffectée. Personne n'y venait plus.

« C'est alors, quand les persécutions du roi commencèrent, que, craignant d'être arrêté, Thomas enfouit là le sceau qu'il avait gardé avec lui.

« Moi, j'avais réussi à fuir, non de Chypre où je n'étais plus, mais de la province d'Aquitaine dont j'étais alors commandeur depuis cinq années. Ce qui me sauva, c'est la réflexion que se firent les gens du roi venus m'arrêter : comme ils ne me trouvaient pas, ils pensèrent que j'avais dû fuir en Espagne, car le roi d'Aragon ne partageait pas du tout l'avis du roi de France sur les Templiers. Et il est vrai que plusieurs d'entre eux trouvèrent refuge à sa cour. Moi, je suis venu à Paris.

— Toujours la gueule du loup ?

— Comme tu le dis. Et grâce à Eusébio, la ruse m'a assez bien réussi. Ce que je voulais – et j'y suis arrivé –, c'était retrouver Thomas pour savoir ce qu'était devenu le premier sceau de l'ordre. Celui qui était à Jérusalem, placé dans la mosquée d'Omar, devenue cathédrale, sous le dôme du Rocher.

Il frappa sur l'épaule de Thomas.

— Je t'ai beaucoup cherché ! Et j'ai fini par te trouver. Ce qui nous reste à faire, toi et moi, nous l'accomplirons. Et maintenant, rentrons. L'effet de la cervoise pourrait ne pas durer toute la nuit ! Et se risquer dans la partie du clos qui est devenue ville, cela me semble presque aussi risqué que de passer devant le corps de garde !

Ils sortirent comme ils étaient entrés, mais cette fois Thomas les accompagnait.

Une fois qu'ils furent revenus dans le logis d'Eusébio, rue Serpente, le chevalier regarda un moment Ansiau, l'air pensif.

Puis il enleva lentement sa bague, la fit tourner un instant entre ses mains et la tendit à Ansiau.

— Prends-la ! (Comme Ansiau le regardait incrédule, le chevalier eut ce demi-sourire qui lui plissait le coin des yeux.) Elle t'a fasciné dès le premier moment où tu l'as vue. Ne me dis pas le contraire ! Je te la donne, parce que là où je vais je n'en aurai plus besoin, moi le dernier de la lignée d'Anglures. Mais promets-moi, lorsque tu auras un fils, non pas de l'appeler Saladin, non ! simplement de lui raconter à ton tour… les croisades ! (Et retrouvant son ton brusque :) Allons, promets ! Et prends la bague ! C'est une belle émeraude, même si Eusébio prétend que le vert

est la couleur du diable ! Et maintenant va-t'en !
J'ai horreur des adieux.

Ce furent les derniers mots qu'Ansiau entendit de la bouche de celui qu'il continua toujours d'appeler « le chevalier ». Le lendemain, il vint quand même, poussé par il ne savait quel espoir, frapper à la porte du logis de la rue Serpente : il ne trouva plus qu'Eusébio.

— Ils sont partis, tous les deux, ce matin.

— Mais pour où ?

— Vous n'avez donc pas compris ? Pour Jérusalem !

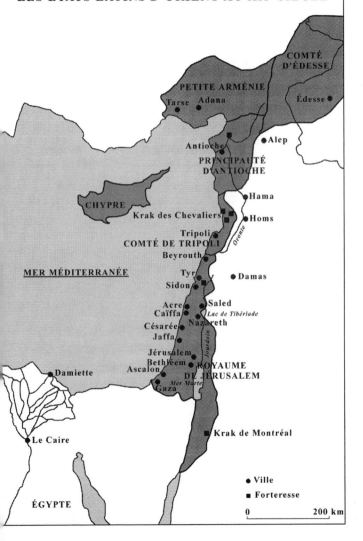

LES ÉTATS LATINS D'ORIENT AU XIIᵉ SIÈCLE

COMTÉ
D'ÉDESSE

PETITE ARMÉNIE

Tarse   Adana   Édesse

Antioche   Alep

PRINCIPAUTÉ
D'ANTIOCHE

CHYPRE   Hama

Krak des Chevaliers   Homs

Tripoli
COMTÉ DE TRIPOLI
Beyrouth

MER MÉDITERRANÉE   Tyr   Damas

Sidon

Acre   Saled
Caïffa   Lac de Tibériade
Césarée   Nazareth
Jaffa

Jérusalem
Bethléem   ROYAUME
Ascalon   DE JÉRUSALEM
Gaza   Mer Morte

Damiette   Krak de Montréal

Le Caire

ÉGYPTE

● Ville
■ Forteresse

0   200 km

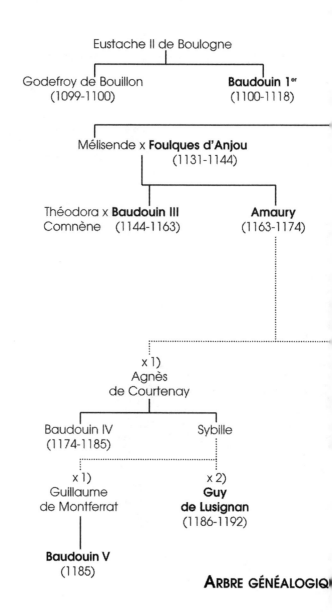

Eustache II de Boulogne

Godefroy de Bouillon
(1099-1100)

Baudouin 1er
(1100-1118)

Mélisende x **Foulques d'Anjou**
(1131-1144)

Théodora x **Baudouin III**
Comnène   (1144-1163)

Amaury
(1163-1174)

x 1)
Agnès
de Courtenay

Baudouin IV
(1174-1185)

Sybille

x 1)
Guillaume
de Montferrat

x 2)
**Guy
de Lusignan**
(1186-1192)

Baudouin V
(1185)

ARBRE GÉNÉALOGIQ

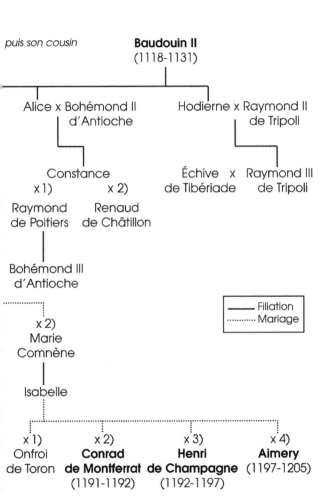

puis son cousin **Baudouin II**
(1118-1131)

Alice x Bohémond II
d'Antioche

Hodierne x Raymond II
de Tripoli

Constance
x 1)   x 2)
Raymond   Renaud
de Poitiers   de Châtillon

Échive   x   Raymond III
de Tibériade   de Tripoli

Bohémond III
d'Antioche

x 2)
Marie
Comnène

Isabelle

| Filiation |
| Mariage |

x 1)   x 2)   x 3)   x 4)
Onfroi   **Conrad**   **Henri**   **Aimery**
de Toron   **de Montferrat de Champagne** (1197-1205)
                (1191-1192)   (1192-1197)

LA MAISON ROYALE DE JÉRUSALEM

Petit lexique

Atabeg, cadi : termes arabes pour désigner soit le gouverneur d'une ville, soit le détenteur de l'autorité sur un territoire.

Basileus **:** voir Constantinople.

Cadi : voir atabeg.

Chrétiens d'Orient orthodoxes : à la suite de querelles religieuses, les chrétiens de l'Empire byzantin s'étaient séparés de Rome ; ils ne reconnaissaient plus l'autorité du pape et lui avaient substitué celle du patriarche de Constantinople. L'un des « rêves » de la quatrième croisade avait été de les ramener dans le sein de l'Église romaine.

Le clos des Templiers était situé à l'emplacement de marais que ces moines avaient asséchés. Une partie était réservée aux Templiers eux-mêmes (cathédrale, chapelles, bâtiments divers avec donjon, enceinte crénelée), l'autre partie avait été louée et des maisons construites, ce qui formait une véritable petite ville. (C'est l'actuel IIIe et une partie du IVe arrondissement de Paris.)

Concile : assemblée des évêques de l'Église catholique réunis par le pape pour statuer sur des questions de dogme.

Constantinople : appelée à l'origine Byzance (d'où l'Empire byzantin), capitale de l'ancien Empire romain d'Orient, qui, peuplé en majorité de Grecs, avait pris le grec comme langue nationale (d'où le terme *basileus*, « roi » en grec, pour désigner l'empereur).

La **croix pattée :** croix d'un type particulier dont les branches s'élargissent à chaque extrémité.

Dinar : monnaie des pays arabes, en or, ou en or et argent.

Excommunier : retrancher quelqu'un de la communion de l'Église catholique.

Fatimides : dynastie d'arabes chiites qui établirent leur autorité en Afrique du Nord entre 909 et 1171 et fondèrent un califat dissident des Abassides de Bagdad.

Les **grandes heures**, dans les monastères étaient : matines ou office récité au milieu de la nuit, laudes, à l'aurore, et **vêpres** à la tombée du jour.

La **haine** que porte **Gérard de Ridefort** à **Raymond de Tripoli** date du temps où, simple chevalier – orgueilleux et arriviste – entré au service du comte, ce dernier lui aurait promis de le marier à Lucie, riche héritière du fief de Botron et... oublia sa promesse pour la marier à un autre !

Haubert, heaume : désignent l'armure et le casque.

Hospitaliers : membres de l'ordre de l'Hôpital Saint-Jean de Jérusalem, aujourd'hui plus connu sous le nom d'ordre de Malte, fondé en 1113.

Ismaélien : membre de l'ismaïlisme, courant de l'islam chiite.

Jardins : terme employé par les chroniqueurs pour désigner, non des lieux d'agrément, mais des terrains maraîchers, vergers et vignes, sources de richesse pour les villes qu'ils entourent.

Krak : château fort des croisés (du syriaque *karak*, « forteresse »). Le Krak des Chevaliers, l'un des plus réputés, se trouve dans l'ouest de la Syrie.

La **langue d'oc** était parlée dans le sud de la France, celle d'**oïl**, dans le Nord, selon la façon de dire « oui » (*oc*, *oïl*).

Mangonneaux : engins militaires offensifs, très proches de la catapulte.

Le **Pas Saint-Georges** : nom donné au détroit du Bosphore sur lequel est bâtie Constantinople et qui sépare l'Europe de l'Asie Mineure.

Relaps : se dit d'une personne qui est retombée dans l'hérésie après l'avoir abjurée.

La **répudiation d'Aliénor d'Aquitaine** par le roi Louis VII eut lieu quelques années après leurs noces. Aliénor épousa le roi d'Angleterre, Henri II ; l'Aquitaine et le Poitou devinrent de ce fait anglais. Elle fut la mère de Richard Cœur de Lion, qui participa à la troisième croisade, et la grand-mère de Blanche de Castille, mère de Saint Louis.

Te Deum : chant latin de louanges et d'actions de grâces à Dieu (du cantique *Te Deum laudamus*, « Nous te louons, Dieu »).

Vêpres : voir grandes heures.

Table des matières

Retrouve

tes héros préférés

et gagne

des cadeaux sur

www.pocketjeunesse.fr

- 📖 toutes les infos sur tes livres et tes héros préférés
- 📖 des jeux-concours pour gagner des livres et plein d'autres cadeaux
- 📖 une newsletter pour tout savoir avant tes amis

POCKET
jeunesse

Composition : Francisco *Compo*
61290 Longny-au-Perche

Impression réalisée sur Presse Offset par

BRODARD & TAUPIN

GROUPE CPI

La Flèche (Sarthe), le 15-02-2006
N° d'impression : 33330

Dépôt légal : mars 2006

Imprimé en France

 12, avenue d'Italie • 75627 PARIS Cedex 13

Tél. : 01.44.16.05.00